D1503347

Le féminisme québécois
raconté à Camille

Micheline Dumont

Le féminisme québécois raconté à Camille

les éditions du remue-ménage

Couverture : Tutti Frutti
En couverture : *Rush Hour*, Conrad Poirier, 14 juin 1943, Bibliothèque et Archives
nationales du Québec, Direction du Centre d'archives de Montréal, Fonds Conrad
Poirier, P48,S1,P9128
Infographie : Folio infographie

*Catalogage avant publication de Bibliothèque et Archives nationales du Québec et
Bibliothèque et Archives Canada*

Dumont, Micheline, 1935-

Le féminisme québécois raconté à Camille

Comprend des réf. bibliogr.

ISBN 978-2-89091-269-4

1. Féminisme - Québec (Province) - Histoire. 2. Femmes - Québec (Province) -
Histoire - 20ᵉ siècle. I. Titre.

HQ1459.Q8D85 2008   305.4209714   C2008-941951-0

Les Éditions du remue-ménage
110, rue Sainte-Thérèse, bureau 501
Montréal (Québec) H2Y 1E6
Tél. : 514 876-0097/Téléc. : 514 876-7951
info@editions-remuemenage.qc.ca
www.editions-remuemenage.qc.ca

Tous les efforts ont été faits afin de rejoindre les titulaires des droits des documents
reproduits ici. Nous regrettons toute omission.

Les Éditions du remue-ménage bénéficient du soutien de la Société de développement des entreprises culturelles du Québec (SODEC) pour leur programme d'édition. Nous remercions le Conseil des Arts du Canada de l'aide accordée à notre
programme de publication. Nous reconnaissons l'aide financière du gouvernement
du Canada par l'entremise du Programme d'aide au développement de l'industrie
de l'édition (PADIÉ) pour nos activités d'édition.

Table des matières

Quatrième partie
La grande ébullition féministe (1969-1980)

Cinquième partie
Au travail pour changer le monde (1981-2005)

À ma petite-fille Camille, ma première lectrice,
née un siècle après la création
du Conseil national des femmes du Canada

Avant-propos

Ce livre s'adresse aux jeunes du XXIᵉ siècle, à qui je souhaite raconter l'histoire du féminisme au Québec de 1893 à nos jours. Il s'adresse aussi à toutes celles et à tous ceux qui n'ont pas beaucoup d'atomes crochus avec les livres savants, avec les notes au bas des pages ou avec les rapports de recherche.

Toutes les informations qui figurent dans ce livre sont cependant attestées par des études, des thèses, des monographies, des documents. Seul le désir de faciliter la lecture m'a incitée à regrouper à la fin de l'ouvrage les références des citations, que j'ai d'ailleurs parfois insérées sous forme de dialogues, même si ces paroles n'ont pas été prononcées mais écrites.

Ce livre n'a pas été écrit pour mes collègues universitaires ou pour les militantes qui connaissent déjà ce récit et n'y apprendront rien de neuf, sauf de rarissimes détails que j'ai découverts dans quelques travaux très récents. J'espère néanmoins convaincre les unes et les autres que le féminisme est loin d'avoir dit son dernier mot!

Micheline Dumont, mars 2008

Prologue

Nous sommes en 1890. Elles s'appellent Ernestine, Berthe, Marie, Antoinette, Eugénie, Imelda. Elles ont 17 ans. Elles sont presque toutes allées à l'école. Elles connaissent leur catéchisme, leurs prières. Elles savent écrire, lire, compter, beaucoup plus que leurs frères. Quelques-unes sont allées au pensionnat pour y apprendre l'anglais, la musique, la littérature, l'histoire. Mais les filles ne peuvent pas poursuivre leurs études au-delà du pensionnat. Pour elles, aucun collège, aucune école professionnelle. Interdiction de fréquenter l'université. À moins d'être anglaise, riche et protestante !

On surveille leurs lectures et leur correspondance. La liste de ce qu'elles ne peuvent pas faire est beaucoup plus longue que ce qui leur est permis. La vertu des filles est beaucoup plus importante que celle des garçons. Une jeune femme qui se marie doit être vierge. Un jeune homme qui se marie doit avoir de l'expérience. Deux poids, deux mesures. C'est ce qu'on nomme le *double standard* !

Si elles ont obtenu leur diplôme modèle (équivalent du Secondaire 3), elles peuvent enseigner, le plus souvent dans les écoles de rang. Leur salaire est très inférieur à celui des instituteurs. Dans les campagnes, elles travaillent dans la maison familiale et sur la ferme : il y a tellement d'ouvrage. Tous les enfants y travaillent gratuitement. Elles espèrent se marier rapidement, mais rien n'est moins certain, car les « vieilles filles » sont nombreuses. Après 25 ans, on coiffe Sainte-Catherine.

Plusieurs décident de partir pour la ville, où on peut se placer facilement comme domestique dans les familles riches. Il y a aussi du travail dans les manufactures, les magasins, les bureaux. Dans les villes, la majorité des filles de la classe ouvrière quittent l'école tôt. Si leur mère travaille à l'extérieur de la maison, elles gardent les jeunes enfants. Le plus souvent, elles travaillent dans les manufactures. Celles qui ont fréquenté l'école un peu plus longtemps, jusqu'à 14 ou 15 ans, peuvent travailler dans les bureaux ou les magasins.

Leurs salaires sont toujours très bas. Dès qu'elles se marient, elles perdent leur emploi. Une femme a-t-elle même le droit de travailler ?

UNE JEUNE FILLE DE 16 ANS AU DÉBUT DU XXᵉ siècle
Des bas noirs, un haut collet, des manches longues, des
prescriptions vestimentaires qui en disent long sur le contrôle
qui s'exerce sur les femmes.

On en discute beaucoup : il faut laisser le travail aux hommes. À la ville comme à la campagne, plus les filles étudient longtemps, moins elles seront « obligées » de travailler, car le travail salarié des femmes est mal vu : c'est un déshonneur. Mais les corvées de cuisine, de ménage, de lavage, de repassage, d'entretien domestique leur sont toujours réservées. Elles sont les servantes de leurs frères en quelque sorte.

Si elles se marient, elles auront plusieurs enfants. Elles perdront leur nom pour prendre celui de leur mari. On les appellera par exemple

Madame Édouard Lanctôt. Le Code civil, qui réglemente les rapports entre les époux, affirme qu'elles sont des incapables devant la loi, comme les fous et les enfants. Leur mari doit signer pour elles. Si elles travaillent, leur salaire revient à leur mari. Si leur mari meurt, elles ne pourront pas devenir tutrices de leurs enfants. Si elles doivent se séparer (cela arrive rarement), leurs enfants resteront avec le père. Ainsi le veut la loi. Dans les cas d'héritage, les garçons sont presque toujours plus avantagés que les filles. C'est injuste, mais il ne faut pas le dire, il ne faut pas protester. Les filles sont éduquées pour accepter leur destin.

Leurs grands-mères avaient le droit de vote au début du XIXe siècle. Mais, en 1834, les députés ont décidé que cette pratique était intolérable, odieuse ! Au nom de l'intérêt public, de la décence et de la modestie, les femmes ne peuvent plus se présenter dans les bureaux de scrutin. En 1867, au moment de la Confédération, on a pris soin d'écrire dans la Constitution que seuls les hommes sont des personnes. Les hommes s'occupent de la chose publique : la politique, les élections, les affaires, les contrats, la commission scolaire, la paroisse, le tracé du chemin de fer. Les femmes, elles, doivent s'occuper de la famille, des enfants et, pour certaines, des œuvres de charité.

Il y a si peu de possibilités pour les femmes que plusieurs choisissent d'entrer au couvent. Le séjour au pensionnat suscite beaucoup de « vocations ». C'est un choix relativement facile, car toute la société baigne dans une culture profondément religieuse. Une fois devenues religieuses, elles peuvent enseigner, étudier, soigner les malades, s'occuper des œuvres charitables dans les hospices, les orphelinats, les salles d'asile, les refuges. Ce sont elles qui s'occupent des aveugles, des sourdes-muettes, des délinquantes, des prisonnières, des filles mères. Elles peuvent même devenir missionnaires en Amérique du Sud, au Yukon, ou dans l'Ouest canadien, une région encore presque inexplorée. Les vocations sont ainsi de plus en plus nombreuses. Certaines religieuses se voient confier d'importantes responsabilités dans les couvents : supérieure générale, économe générale, directrice des études.

De nouvelles inventions font leur apparition, du moins dans les villes : les chemins de fer, le téléphone, l'éclairage au gaz ou à l'électricité. On apprend dans les journaux ce que des femmes ont réussi à accomplir dans d'autres pays : certaines sont devenues médecins, avocates, biologistes, journalistes, chanteuses d'opéra ! Aux États-Unis, il y a des universités qui accueillent des étudiantes. Tout cela donne l'impression que bien des choses sont désormais possibles pour les femmes. Dans les milieux bourgeois ou intellectuels, on parle de la «femme nouvelle». Les jeunes femmes de cette époque se sentent très «modernes». Elles se préparent à entrer dans le xxe siècle !

Enfin, avec l'industrialisation, une nouvelle classe sociale apparaît : la classe moyenne ou petite bourgeoisie. Dans ce groupe social, grâce aux domestiques, les femmes ont des loisirs. Un grand nombre d'entre elles souhaitent autre chose que la vie mondaine, les parties de cartes, les thés ou les bals pour meubler leur temps. Elles s'engagent dans des œuvres de charité : hôpitaux, orphelinats, soupe populaire. Elles fondent des associations de dames patronnesses[1] et recueillent de l'argent, visitent les malades, font du bénévolat. C'est ce qu'on nomme à l'époque les œuvres philanthropiques ou la philanthropie. Les jeunes filles y sont préparées dès qu'elles quittent le pensionnat.

La majorité des jeunes filles se retrouvent donc dans un univers très étroit, très protégé, très surveillé. Comme leurs mères, elles ne questionnent pas le destin qui les attend. Sauf quelques femmes plus audacieuses, sauf les féministes. **Mais qui sont les féministes ? Et qu'est-ce que le féminisme au juste ?**

---

1. On appelle «dames patronnesses» les femmes qui soutiennent les œuvres charitables par des activités de financement variées.

Première partie

Les femmes s'organisent

1893-1912

L'apparition du féminisme

À la fin du xixᵉ siècle, dans plusieurs pays, des femmes se rassemblent dans des associations politiques pour discuter de leurs droits. Les plus anciennes de ces associations datent de 1848. On en trouve presque partout en Europe, en Amérique, et jusqu'en Asie et en Afrique du Nord. Ces groupes ont existé avant même que les mots «féminisme» et «féministe» ne soient utilisés. On parle alors des «droits de la femme». La situation des femmes, dans tous les pays, était assez semblable à celle qu'on trouvait au Québec au milieu du xixᵉ siècle. De même, il n'y a pas de groupes dits «féministes» au Québec, et on ignore l'existence de ce mot. En fait, le mot «féminisme» désigne, à l'origine, une maladie assez rare, décrite dans les dictionnaires de médecine: on dit d'un homme qui présente des signes physiologiques féminins (absence de barbe, seins développés) qu'il souffre de «féminisme».

Vers 1870, les militantes qui luttent pour les droits des femmes sont très actives en France, ce qui suscite la colère de plusieurs hommes. L'écrivain Alexandre Dumas fils, voulant ridiculiser ces femmes, les traite de «féministes», laissant entendre qu'elles veulent se transformer en hommes et s'approprier des attributs masculins. Dix ans plus tard, une militante française, Hubertine Auclert, trouvant que ce mot convient parfaitement pour décrire la lutte pour les droits des femmes, se proclame «féministe», ce qui donne rapidement «féminisme». De plus, comme ce mot a l'avantage de se traduire facilement dans plusieurs langues, il se répand presque aussitôt comme une traînée de poudre en Europe. Il désigne l'ensemble des mouvements qui contestent la place subordonnée des femmes dans la société et formulent des revendications pour défendre leurs droits. Dès les années 1890, on organise déjà des congrès féministes internationaux. Mais que veulent donc les féministes?

La liste de leurs revendications est longue. À la base, elles soutiennent que l'infériorité des femmes n'est pas naturelle : elle est imposée par la société et la culture. Elles veulent donc faire modifier les lois, les règlements, les traditions qui sont responsables de ce qu'on appelle la subordination des femmes. Les féministes se révoltent contre cette subordination qui les rend inférieures aux hommes. Elles veulent changer la société sur plusieurs fronts : instruction, travail, lois.

De nombreuses femmes veulent avoir le droit de poursuivre leurs études au-delà du niveau primaire ou secondaire et même fréquenter l'université. Le droit à l'instruction est considéré comme la base de tous les autres droits pour trois raisons : l'instruction développe la conscience de ses droits, elle nourrit l'assurance individuelle et elle permet l'autonomie financière.

Une fois leurs études terminées, de plus en plus de femmes souhaitent exercer un travail rémunérateur. Plusieurs deviennent journalistes et défendent ces idées dans les journaux. Quand elles font le même travail que les hommes, certaines exigent l'égalité salariale. Les féministes veulent obtenir le droit d'être médecin, avocate, pharmacienne, comptable, architecte, comme les Américaines. Elles réclament de meilleurs salaires et de meilleures conditions de travail pour les ouvrières : journées moins longues, environnement plus sain. Elles exigent aussi des inspectrices pour les usines qui emploient des femmes. Le droit au travail rémunéré est au cœur des revendications féministes.

Les femmes veulent aussi modifier le Code civil, qui les rend dépendantes de leur mari et en font des incapables devant la loi. Elles portent le nom de leur mari et ne peuvent rien faire sans sa signature. De plus, les féministes protestent le fait qu'on est si soupçonneux quant à la vertu des femmes alors qu'on est si tolérant envers la conduite sexuelle des hommes. C'est ce qu'on appelle le *double standard* sexuel. Elles souhaitent une meilleure protection pour les femmes séparées, et le droit de garder leurs enfants. À la fin du XIXᵉ siècle, selon la loi, les enfants appartiennent au père et, quand un couple se sépare, les enfants lui sont remis. Les féministes veulent aussi augmenter l'âge légal requis pour se marier, qui est, à ce moment-là, fixé à 12 ans pour les filles (14 ans pour les garçons). Quelques-unes, plus audacieuses, réclament même le droit au divorce, devenu une réalité dans certains pays comme la France et les États-Unis. Les modifications des lois civiles qui concernent le mariage et la famille représentent toujours un chapitre important des revendications des femmes.

Plusieurs féministes souhaitent obtenir le droit de vote, le « suffrage », les droits civiques, qui feraient d'elles des citoyennes à part entière. Toutefois, cette revendication ne fait pas l'unanimité parmi les féministes : elle est considérée par plusieurs comme une demande beaucoup trop extrémiste ! Le droit de vote est récent dans l'histoire. Il n'est véritablement apparu qu'à la fin du XVIIIe siècle et, à l'origine, il n'était réservé qu'à quelques hommes. En réalité, la démocratie a été pensée uniquement pour les hommes. Quand on réclame le suffrage universel, à partir du milieu du XIXe siècle, ce soi-disant droit universel est exclusivement masculin.

Pourtant, les féministes s'intéressent beaucoup à la politique municipale. Elles réclament des espaces verts dans les villes, de meilleures conditions d'hygiène dans les quartiers ouvriers, des bains publics et des écoles maternelles. Si le droit de vote n'est pas à l'origine une priorité pour toutes les féministes, il le sera rapidement au début du XXe siècle.

Il y a un siècle, plusieurs questions rattachées au droit criminel, telles que l'alcoolisme, la prostitution (qu'on appelle la « traite des blanches »), la littérature obscène, ont passionné les féministes. Ces dernières sont conscientes que la pauvreté est le plus souvent la cause de la prostitution et savent combien les domestiques sont vulnérables. Les féministes s'intéressent également aux conditions de vie des prisonnières et aux écoles de réforme pour les filles.

Plusieurs militent dans des associations de tempérance[1], car l'alcool est considéré comme l'ennemi de la famille. C'est la raison pour laquelle elles sont si favorables au droit de vote : elles veulent avoir le pouvoir de changer les lois qui réglementent le commerce de l'alcool.

Certaines audacieuses discutent même de contraception, ce qui est incroyable. À cette époque, en effet, non seulement la contraception et l'avortement sont des crimes qui figurent dans le Code criminel et qui sont punis par la loi, mais il est strictement interdit d'en

---

[1]. On appelle « lutte pour la tempérance » les campagnes pour réduire, voire interdire la vente d'alcool.

discuter publiquement. Inutile d'ajouter que ces deux pratiques sont également condamnées par toutes les églises. D'ailleurs, la majorité des associations féministes n'en parlent pas. Elles craignent d'être associées aux rares femmes, en France ou aux États-Unis, qui réclament plus de liberté sexuelle et mènent une vie très libre. Elles estiment que ces femmes jettent le discrédit sur l'ensemble du mouvement féministe. Elles critiquent aussi les modes vestimentaires imposées aux femmes, qui limitent leurs mouvements. Elles souhaitent pratiquer des sports et rouler à bicyclette sans que l'on crie au scandale!

Enfin, les féministes considèrent que les femmes peuvent prétendre, en tant que mère, à une protection sociale. Elles réclament des pensions pour les femmes pauvres et les femmes abandonnées par leur mari. Elles souhaitent des services d'aide maternelle et de surveillance médicale pour les accouchements, des hôpitaux pour les enfants. Les droits sociaux sont encore peu développés au début du siècle, compte tenu du fait que les gouvernements n'ont pas encore mis en place des programmes pour les chômeurs, les pauvres, les malades, les personnes âgées. L'opinion générale veut que la charité soit suffisante pour faire face à tous les problèmes.

Les féministes sont réalistes et ont l'esprit pratique. Quelques-unes de leurs demandes ont déjà été obtenues dans plusieurs pays. Ainsi, aux États-Unis, les femmes fréquentent l'université par milliers, exercent les professions de médecin ou d'avocate. À l'autre bout du globe, les Néo-Zélandaises ont obtenu le droit de vote en 1893. Le statut des femmes mariées a été modifié en Ontario en 1872. Il y a d'ailleurs des groupes qui militent pour les droits des femmes au Canada anglais depuis 1882.

Au Québec, les groupes de revendication féministes n'existent pas encore. Les femmes de la classe moyenne se contentent des œuvres de charité. Elles entendent vaguement parler de ce qui se passe aux États-Unis, en Grande-Bretagne, en France, mais seules quelques femmes de la petite bourgeoisie et quelques journalistes sont véritablement au courant. **Quelle sera l'étincelle qui va allumer la flamme du féminisme au Québec?**

Les Montréalaises au Conseil national des femmes du Canada

À la fin du XIXᵉ siècle, comme en Europe et aux États-Unis, les femmes du Canada sont réunies dans de nombreux groupes aux objectifs variés. On trouve des sociétés de tempérance, des associations de dames patronnesses, des sociétés littéraires, des cercles d'études, des amicales (associations d'anciennes élèves), des associations professionnelles, des loges maçonniques, des sociétés religieuses et missionnaires, et même, à Toronto, un petit groupe qui réclame le vote des femmes.

Depuis 1888, un vaste mouvement est apparu dans plusieurs pays pour réunir en un seul regroupement international toutes les énergies féminines. Un groupe de femmes de sept pays lance l'idée d'un **Conseil international des femmes** à Washington en 1888. Une militante suffragiste des États-Unis, May Wright Sewall, sillonne l'Europe pour susciter la création de conseils nationaux dans tous les pays. Cinq ans plus tard, en 1893 à Chicago, 35 pays sont représentés pour créer le Conseil international des femmes. La première présidente est une aristocrate anglaise, Lady Aberdeen. Les déléguées ont choisi une aristocrate afin de bien montrer qu'elles n'ont aucune visée révolutionnaire et pour se distinguer des groupes plus radicaux qui existent dans quelques pays.

Or, en 1893, Lord Aberdeen est nommé gouverneur général du Canada. Son épouse, Lady Aberdeen, entreprend immédiatement d'y créer une association, pour que les Canadiennes puissent participer au Conseil international des femmes. Elle facilite ainsi la formation d'une vaste coalition qui réunira l'ensemble des associations féminines canadiennes. C'est ainsi qu'apparaît le **National Council of Women of Canada**, le **Conseil national des femmes du Canada**, en

ISHBEL, MARCHIONESS OF ABERDEEN AND TEMAIR (1857-1939)
Mieux connue sous le nom de Lady Aberdeen, la première présidente du Conseil international des femmes, en 1893, est alors l'épouse du gouverneur général du Canada. Elle est à l'origine de la fondation du Conseil national des femmes du Canada/National Council of Women of Canada, toujours en 1893.

1893. Cet organisme est non partisan : les femmes de toutes les religions et de tous les groupes nationaux peuvent s'y côtoyer pour mieux défendre leurs demandes. Les premières participantes estiment que les qualités « naturelles » des femmes, la compassion, la générosité, vont pouvoir transformer la société et guérir les plaies sociales causées par la révolution industrielle dans les villes : la pauvreté, la mortalité infantile, les épidémies, l'alcoolisme, les naissances hors mariage, la prostitution, les taudis. Plusieurs réclament l'égalité avec les hommes. Elles ne sont pas unanimes, loin de là, mais elles discutent et cherchent de quelle manière exercer des pressions sur les gouvernements.

Le Conseil national des femmes du Canada organise régulièrement des congrès dans les principales villes du pays, pour entendre ce que les femmes ont à dire et acheminer éventuellement leurs revendications aux différents paliers gouvernementaux. Les membres apprennent à rédiger des requêtes, à recueillir des signatures pour des pétitions, à proposer des amendements aux projets de lois, à surveiller les débats politiques, à défendre leurs idées dans les journaux. Dans plusieurs villes, on met sur pied un **conseil local** pour que des associations de femmes puissent travailler ensemble.

Dès l'année de fondation du Conseil national, en 1893, trois conseils locaux sont créés au Canada : à Toronto, Hamilton et Montréal. L'année suivante, en 1894, onze autres s'ajoutent, dont un à Québec. Le mouvement est vraiment lancé : six nouveaux sont mis en place en 1895, ce qui témoigne de la popularité du Conseil national des femmes du Canada. Les leaders de ces conseils locaux sont anglophones et protestantes, ce qui constitue un obstacle important à la participation des Canadiennes françaises. En effet, les autorités religieuses de Montréal interdisent formellement aux associations catholiques de s'affilier à la nouvelle organisation. Même l'intervention personnelle de Lady Aberdeen auprès de Mgr Fabre, archevêque du diocèse de Montréal, ne le fait pas changer d'idée. Il ne permet que les adhésions de membres individuelles ; or on les compte sur les doigts d'une seule main. Il vaut la peine de connaître trois de ces femmes.

La première est Marguerite Lamothe-Thibodeau. Cette femme, qui avait été reine de beauté dans sa jeunesse, a surpris tout le monde en devenant responsable des **Dames patronnesses de l'hôpital Notre-Dame** en 1881, l'année suivant la fondation de cet hôpital. À cette époque, les dames patronnesses sont un rouage essentiel du financement des hôpitaux, et à Montréal, on considère Mme Thibodeau comme une des fondatrices de l'hôpital. Elle est nommée vice-présidente du **Montreal Local Council of Women (Conseil local des femmes de Montréal)** dès 1893. Elle parle peu, mais elle exerce une influence prépondérante. C'est elle qui organise les conférences, qui trouve les salles pour les réunions, obtient les permissions de l'archevêque, fait la publicité. Comme elle est terrorisée quand elle doit parler en public, dès l'année suivante, elle se fait remplacer au Conseil par Joséphine Marchand-Dandurand, une des femmes les plus en vue de l'élite politique québécoise.

Joséphine Marchand-Dandurand est journaliste et vient d'une célèbre famille libérale. En 1893, elle a réalisé un vieux rêve : créer son propre journal, *Le Coin du feu*. Elle dirige et rédige presque seule ce journal pour lequel elle obtient parfois des collaborations d'écrivains français réputés. Avec ce journal, elle souhaite « élever le niveau intellectuel de l'élément féminin ; dire à la jeunesse des choses utiles, que personne ne songe à lui dire ; fustiger les travers de notre société ; donner aux jeunes filles le goût des choses de l'esprit ». Sa participation au Conseil national des femmes du Canada semble donc naturelle et c'est par son journal que les lectrices entendent parler du Conseil national des femmes. En effet, les journaux francophones n'en parlent pour ainsi dire pas et lorsqu'ils en parlent, c'est pour le ridiculiser ou

LE MONDE ILLUSTRÉ

1ère année, No. 4.—Samedi, 31 mai 1884. Bureaux : 26, rue Saint-Gabriel, Montréal.	LE No. **5 CENTS.**	ABONNEMENTS : Six mois : $1.50. — Un an : $3.00.

Imprimé par la Cⁱᵉ Lithographique Burland.

MADAME HON. J. R. THIBAUDEAU,
Présidente de la Kermesse.

MARGUERITE LAMOTHE-THIBODEAU (1853-1939)
Considérée comme une des fondatrices de l'hôpital Notre-Dame, elle est membre
du Conseil des femmes de Montréal et active dans de multiples associations
philanthropiques. Elle a été présidente de la section francophone de la Croix-Rouge
durant la Première Guerre mondiale.

JOSÉPHINE MARCHAND-DANDURAND (1861-1925)
Éditrice d'un des premiers magazines destiné aux femmes, *Le Coin du feu*, de 1893 à 1896, elle est membre de l'exécutif du Conseil national des femmes du Canada dès 1894. Elle est représentante du gouvernement canadien à l'Exposition universelle de Paris en 1900, avec son mari, Raoul Dandurand.

pour protester : « Les organisatrices veulent détruire la famille et le foyer. »

Joséphine ne manque pas de critiquer, dans *Le Coin du feu*, l'opposition des prêtres aux activités du Conseil. Elle déclare :

« Les questions religieuses n'ont absolument rien à faire dans le programme du Conseil national des femmes. »

Elle regrette que des femmes actives et dynamiques soient limitées à un rôle passif dans les œuvres charitables et religieuses. Elle ajoute :

« Voilà le cercle de fer que la venue de Lady Aberdeen aura eu l'influence de briser ! »

Elle appuie donc les idées de réforme sociale qui se répandent à ce moment-là au Canada. Invitée à prendre la parole au congrès du Conseil national des femmes du Canada à Ottawa en 1894, elle veut le faire en français. On lui répond :

« À votre goût. Mais vous ne serez pas comprise. Les déléguées de toutes les provinces n'entendent pas le français. »

Elle prend donc la parole en anglais et y remporte un vif succès.

La troisième militante est Marie Lacoste-Gérin-Lajoie, une jeune mère de famille de 26 ans. À sa sortie du pensionnat, à l'âge de

LADY JULIA DRUMMOND (1851-1942)
Première présidente du Montreal Local
Council of Women de 1893 à 1899,
Julia Drummond est aussi membre de
l'exécutif du Conseil national des
femmes du Canada en 1907. Elle est
une suffragiste convaincue.

15 ans, elle a poursuivi des études personnelles dans la bibliothèque de son père, et s'est donné une formation de juriste. Elle est profondément scandalisée par l'injustice sociale. Elle est surtout préoccupée par la condition légale des femmes mariées : elle n'accepte pas que l'épouse soit en état de subordination légale par rapport à son mari. Elle exige de son fiancé, Henri Gérin-Lajoie, qu'il accepte qu'elle travaille librement à l'amélioration du sort des femmes une fois mariée. Après son mariage en 1887 et la naissance de ses enfants, elle souhaite travailler aux projets de réforme sociale et améliorer les droits des femmes. C'est pourquoi elle publie, dans *Le Coin du feu,* une série d'articles sur la condition légale des femmes mariées. Au sujet de Lady Aberdeen, elle s'exclame :

« Quelle femme que cette femme ! Son nom figurera parmi les plus grands dans la liste des défenseurs de notre sexe ! »

Pour elle, l'apparition du Conseil national est une bénédiction. La présidente du Montreal Local est Julia Drummond, une anglophone, bien sûr. On doit noter que toutes ces femmes, Marguerite, Joséphine, Marie, Julia sont les épouses de personnages importants. Marguerite est l'épouse d'un riche industriel, Rosaire Thibodeau, propriétaire de la Montreal Cotton. Joséphine est l'épouse d'un sénateur, Raoul Dandurand. Son père, Félix-Gabriel Marchand, deviendra premier ministre du Québec en 1897. Marie est la fille d'un juge, Alexandre Lacoste, et l'épouse d'un avocat en vue. Julia est l'épouse du président de la Bank of Montreal. Si elles n'avaient pas été membres de l'élite et servies par plusieurs domestiques, elles n'auraient sans doute pas pu consacrer tant de temps et d'énergie à la cause des femmes.

Parmi les premières réalisations du Montreal Local, on compte des enquêtes sur les conditions de travail des ouvrières dans les manufactures, la nomination d'inspectrices dans les usines, la séparation des jeunes filles d'avec «les criminelles vieillies dans le vice» dans les prisons, la fondation de cercles de lecture, l'organisation de conférences sur l'hygiène, l'ouverture du premier bain public à Montréal en 1896. En 1899, 29 associations sont affiliées au Montreal Local. Ces associations sont presque toutes anglophones et protestantes. Une seule association catholique a osé enfreindre l'interdiction de l'archevêque : les Dames patronnesses de l'hôpital Notre-Dame. Cet hôpital étant une fondation laïque[1], il ne dépend pas de l'autorité religieuse. **Cet engagement féministe est-il compatible avec la religion catholique ? Comment l'Église catholique va-t-elle réagir à ces entreprises laïques ?**

---

[1]. Au XXᵉ siècle, on qualifie de «laïques» les institutions qui ne sont pas dirigées par l'Église.

Le féminisme chrétien

En tant qu'éditrice du *Coin du feu,* Joséphine Marchand-Dandurand est en contact avec des journalistes françaises qui lui font découvrir l'association et la revue *Le féminisme chrétien,* dirigées par Marie Maugeret. Cette nouvelle information rassure Marie Gérin-Lajoie, qui craint toujours que les autorités religieuses n'associent les mouvements qui réclament des droits pour les femmes à une « déviation » protestante. Elle confie à son journal intime :

« Cette découverte me fait frémir de plaisir ! »

C'est ainsi qu'en 1896 le mot « féminisme » arrive en Amérique, par le biais des militantes francophones du Conseil national des femmes du Canada. Cette découverte décuple les énergies de Marie Gérin-Lajoie : le féminisme est conciliable avec la religion catholique ! Cette même année 1896, a lieu à Montréal la première réunion en français du Conseil national des femmes du Canada où se pressent des centaines de femmes. Cette rencontre suscite d'abord beaucoup de réactions hostiles dans les journaux. Les familles sont divisées autour du féminisme. Les maris critiquent les membres du Conseil national, disant :

« Ce sont d'horribles femmes modernes qui veulent établir la suprématie du genre féminin sur la terre ! »

On ne réalise pas aujourd'hui ce qu'il a fallu de courage à ces femmes pour résister à l'hostilité que le féminisme a provoquée dès son apparition. Une journaliste déclare en 1900 :

« Il ne fait pas bon par le temps qui court d'exposer trop ouvertement ses idées sur le féminisme... »

En 1900, les féministes de l'ensemble du Canada collaborent pour participer à l'Exposition universelle de Paris. Elles préparent un ouvrage publié dans les deux langues, *Les femmes du Canada. Leur vie et leurs œuvres*, et plusieurs féministes québécoises écrivent des articles dans ce livre. À cette occasion, Joséphine Marchand-Dandurand et son mari, Raoul Dandurand, sont délégués à Paris par le gouvernement canadien pour représenter le pays.

En 1901, des centaines de femmes se réunissent dans une salle de l'Asile de la Providence, au centre-ville de Montréal, pour écouter une conférence de Joséphine Marchand-Dandurand : *Le féminisme*. Elle met en relief le rôle important joué par les femmes dans la société. Cette fois, le mouvement semble vraiment lancé. Les femmes ont réussi à s'organiser. Marie Gérin-Lajoie soutient :

« Il semble que ce qui nous a manqué, à nous femmes, c'est cette action concertée, ce travail collectif... »

Évidemment dans le milieu anglophone, où les femmes ont accès à l'université depuis le début des années 1880, où on trouve des femmes médecins et des intellectuelles, le mouvement est beaucoup plus dynamique. Les Canadiennes françaises sont conscientes de leur retard face aux Canadiennes anglaises qui sont plus instruites. De plus, on l'a vu, en Ontario les femmes mariées ne sont plus dépendantes de leur mari depuis 1872.

C'est la grande cause de Marie Gérin-Lajoie. Elle publie en 1903 un *Traité de droit usuel* pour expliquer aux femmes, et surtout aux

À l'occasion de l'Exposition universelle de Paris, en 1900, le Conseil national des femmes du Canada publie un livre qui résume les réalisations et les aspirations des Canadiennes au début du XXᵉ siècle. Plusieurs féministes montréalaises y collaborent. Cet ouvrage, publié en anglais et en français, est sans doute le premier livre à fournir des informations aussi nombreuses et précises sur la situation des femmes canadiennes.

OTTAWA, 1898
Chaque année, les déléguées des diverses villes canadiennes se réunissent pour l'assemblée générale du Conseil national des femmes du Canada.

jeunes filles, «l'abdication de leur liberté» quand elles se marient. Elle réussit à convaincre les pensionnats et les classes avancées des écoles publiques d'enseigner son manuel. Elle donne elle-même des dizaines de conférences sur la question.

Les journalistes Françoise (pseudonyme de Robertine Barry) dans *La Patrie*, Colombine (pseudonyme d'Éva Circé-Côté) dans *Les Débats*, Gaëtane de Montreuil (pseudonyme de Georgina Bélanger) dans *La Presse* et Léonise Valois dans *Le Monde illustré* contribuent à répandre ces nouvelles idées. Robertine Barry publie son propre journal à partir de 1902: *Le Journal de Françoise*. Elle est alors remplacée à *La Patrie* par Madeleine Huguenin. Grâce à ces journalistes, de plus en plus de femmes sont au courant des nouveaux débats de société autour du féminisme. C'est vraiment une question à la mode au début du XXe siècle.

Les relations avec les anglophones protestantes ne sont pas toujours faciles. Durant les réunions du Montreal Local, les Canadiennes françaises sont obligées de parler en anglais. Trois événements contribuent à séparer les deux groupes nationaux.

En 1904 à Montréal, se pose la question du vote des femmes aux élections municipales. En effet, les veuves et les célibataires ont le droit de vote à ce niveau de gouvernement depuis 1887, qu'elles soient propriétaires ou locataires, parce que, n'ayant pas de mari, elles payent des taxes et sont autonomes devant la loi. En 1902, Marie Gérin-Lajoie et les membres du Montreal Local ont obtenu que les femmes « séparées de biens » aient également le droit de vote. Les échevins (les membres du conseil municipal) se sont fait tirer l'oreille sous prétexte que, le plus souvent, les femmes n'exercent pas leur droit de vote et qu'on fait voter à leur place « des femmes infâmes ». Marie Gérin-Lajoie réclame l'autorisation de l'archevêque pour se lancer dans cette campagne « afin de ne pas être à la merci des protestantes », qui prétendent dicter les pamphlets et définir les programmes politiques proposés aux femmes qui ont le droit de vote. Elle lance une campagne de presse « qui a un retentissement extraordinaire » pour inciter les femmes qui ont le droit de vote (les veuves et les célibataires) à exercer leur droit. La veille du scrutin, la question est sur toutes les lèvres : Voteront-elles ? Ne voteront-elles pas ? Or elles se présentent très nombreuses aux bureaux de vote, dans le calme et la dignité. Le soir du scrutin, Marie Gérin-Lajoie manifeste sa satisfaction :

ROBERTINE BARRY (1863-1910)
Connue au début du XXe siècle sous le pseudonyme de Françoise, la journaliste Robertine Barry publie *Le Journal de Françoise* de 1902 à 1909. Elle est associée à toutes les activités féministes à Montréal.

« La glace est rompue. Je crois que nous ne rétrograderons pas ! »

Deuxième épisode de ce malaise : en 1905, la communauté anglophone veut célébrer le Centenaire de la victoire de Nelson à Trafalgar contre Napoléon. Les dames du Montreal Local invitent leurs consœurs à un banquet. Celles-ci refusent, expliquant qu'elles ne veulent pas « célébrer une défaite française » !

Dernier épisode : les militantes aimeraient bien avoir la collaboration des congrégations religieuses, responsables de tant d'œuvres éducatives, sociales et hospitalières, mais il est évident que jamais les religieuses n'accepteront de participer à une organisation dominée par les protestantes.

Au début du xxᵉ siècle, le nationalisme canadien-français est très influent dans la société. Les féministes montréalaises francophones ne se sentent donc pas très à l'aise au Montreal Local où elles sont en minorité. **Comment les féministes francophones pourront-elles devenir plus autonomes ?**

4

La Fédération nationale
Saint-Jean-Baptiste

Au début du XXe siècle, plusieurs militantes francophones du Montreal Local se sont retrouvées dans un nouveau comité de dames patronnesses, celui de la Société Saint-Jean-Baptiste, organisation nationaliste très populaire qui existe depuis 1834. À l'invitation de Caroline Dessaulles-Béique, l'épouse du président, ces femmes ont mis sur pied, en 1903, une vaste campagne de souscription pour payer la dette du Monument national, le célèbre théâtre de la rue Saint-Laurent, qui offre également des cours du soir gratuits dans ses locaux. Ces messieurs de la Société Saint-Jean-Baptiste ont eu l'idée de recourir à leurs épouses pour organiser une campagne de collecte de fonds. Elles sont en effet devenues expertes dans l'art de recueillir de l'argent pour financer les œuvres charitables. L'opération est un franc succès.

« Notre Société de dames patronnesses avait acquis une certaine autorité », rappelle la présidente, Caroline Dessaulles-Béique, dans ses Mémoires.

Pour Marie Gérin-Lajoie et Caroline Béique, la voie est toute tracée : il suffit de transformer les objectifs de ce comité, d'élargir ses initiatives et de mettre en place un véritable regroupement d'associations de femmes catholiques. Comme de raison, il faut négocier avec l'archevêque de Montréal la permission de fonder cette nouvelle association. Après deux ans de préparatifs, où Mmes Dandurand et Béique sont indispensables, la première association féministe canadienne-française est donc créée en 1907. Elle prend le nom du comité qui lui a donné naissance : la **Fédération nationale Saint-Jean-Baptiste (FNSJB)**. La première présidente est Caroline Béique.

MARIE GÉRIN-LAJOIE
(1868-1945)
Marie Lacoste exige de son
fiancé, Henri Gérin-Lajoie, de
pouvoir travailler librement à
l'amélioration du sort des
femmes, après son mariage.
Elle accepte de se marier à
cette condition, car elle s'est
donné cette mission. Elle est la
fondatrice de la Fédération
nationale Saint-Jean-Baptiste
en 1907.

Tout le monde sait que c'est Marie Gérin-Lajoie qui est la véritable initiatrice de cette vaste organisation. À titre de secrétaire, celle-ci entreprend la grande œuvre de sa vie. La Fédération regroupera trois types d'associations:

1. Les œuvres charitables, constituées surtout de comités de dames patronnesses;
2. Les œuvres d'éducation, comprenant les cercles d'études, les institutions d'éducation et l'École ménagère provinciale, qui a été fondée en 1904;
3. Les œuvres économiques, pour améliorer le niveau de vie des travailleuses, sous forme d'associations professionnelles.

Dès la fondation, 22 associations en deviennent membres. À l'unanimité, les fondatrices avaient décidé «que la Fédération étant une œuvre sœur de la Société Saint-Jean-Baptiste, il n'était que naturel qu'elle soit formée exclusivement de Canadiennes françaises».

La Fédération aura des sections dans les paroisses. Les fondatrices se sont munies des permissions indispensables de l'archevêque pour les mettre en place. Ce dernier leur promet que les curés liront leur invitation le dimanche à l'église, pour faciliter la création des sections. Mgr Bruchési a longtemps hésité à approuver les associations professionnelles. Mais qui peut résister à Marie Gérin-Lajoie ? L'archevêque répond :

« Je ne puis qu'approuver. Voilà bien le vrai féminisme, celui qui répond aux besoins de notre époque. »

Parce que dans son esprit, le féminisme qui réclame des droits pour les femmes n'est pas acceptable.

Dans tous les dossiers où elle s'active, Marie Gérin-Lajoie travaille sur la corde raide. On condamne partout le « mauvais féminisme », qui réclame des droits pour les femmes. On n'a pas idée de toutes les démarches que Marie doit faire, de toutes les résistances qu'elle rencontre. Même ses proches collaboratrices sont craintives. Elle confie à son journal :

« Les activités sociales de la femme étaient alors confondues avec un féminisme outrancier, individualiste, qui ne vise pas exclusivement au bien de la famille et de la société. »

Le plus difficile est de mettre sur pied les associations professionnelles, car à cette époque on se méfie, dans tous les milieux, de l'activité syndicale. Malgré tout, Marie Gérin-Lajoie réussit à créer l'**Association des employées de manufactures**, l'**Association des employées de magasins**, l'**Association des employées de bureaux**, l'**Association des femmes d'affaires** et l'**Association des institutrices**. Elle doit convaincre les travailleuses d'accepter de siéger aux bureaux de direction de chaque association. Elle rédige elle-même les constitutions. Ce travail de persuasion est harassant. Malgré tous ses efforts, une **Association d'aides-domestiques** ne réussit à survivre que deux ans.

Un congrès de quatre jours, au Monument national, lance la Fédération nationale Saint-Jean-Baptiste (FNSJB) le 26 mai 1907. Le lendemain, le quotidien *La Patrie* en fait sa manchette sur sept colonnes ! L'entreprise est un grand succès : il semble enfin que le féminisme soit bien installé à Montréal. Une décennie plus tard, on trouve près de 30 sections de la FNSJB dans autant de paroisses de la région de Montréal.

La fondation de la Fédération nationale Sainte-Jean-Baptiste est soulignée en manchette par le quotidien *La Patrie* le 27 mai 1907. L'article s'étend sur sept colonnes, ce qui se produit très rarement à l'époque.

Un autre dossier préoccupe les féministes : celui de l'instruction supérieure des filles, que quelques religieuses enseignantes voudraient développer. Les autorités universitaires et religieuses s'y opposent systématiquement, craignant la concurrence que les étudiantes pourraient faire aux garçons. Or, en avril 1908, deux journalistes audacieuses, Éva Circé-Côté et Gaëtane de Montreuil, décident de se passer des permissions religieuses et annoncent la fondation d'un lycée[1] laïque, en plein quartier latin, rue Saint-Denis. Les jeunes filles pourront y poursuivre leurs études, au-delà du pensionnat, pour avoir enfin accès à l'université dans le domaine des sciences et du commerce. Elles ont l'appui d'un groupe de personnalités qui souhaitent briser le monopole de l'Église sur l'éducation. On s'en doute, ce projet est loin de faire l'unanimité dans la bonne société canadienne-française.

Marie Gérin-Lajoie a une fille maintenant âgée de 17 ans, Marie-Justine, qui voudrait poursuivre ses études jusqu'au baccalauréat. Où

1. Ce lycée correspond sans doute au cégep.

pourrait-elle étudier? Il n'y a aucun collège pour les filles, et elles n'ont pas le droit de fréquenter l'université. Sa mère, qui souhaite rester dans les bonnes grâces des autorités catholiques, cherche à obtenir plutôt la collaboration de mère Sainte-Anne-Marie, de la Congrégation de Notre-Dame, la plus importante congrégation enseignante à Montréal, afin de permettre aux jeunes filles de poursuivre leurs études au-delà du pensionnat. Il lui semble que c'est la meilleure façon de créer une institution où les jeunes Canadiennes françaises pourront obtenir un baccalauréat. Elle déclare aux religieuses:

« Les laïques vont vous devancer! »

Elle menace même d'envoyer sa fille étudier avec les protestants à l'Université McGill.

L'annonce de l'ouverture du lycée laïque, au printemps de 1908, réussit toutefois à faire lever les objections des responsables de l'université. Mère Sainte-Anne-Marie parvient à tout mettre en place pour la rentrée de 1908, avec la protection de l'archevêque: il est presque impossible de changer les choses au Québec, au début du xxᵉ siècle, si on n'a pas la permission des autorités religieuses. C'est ce que comprend très bien Marie Gérin-Lajoie, et c'est pourquoi elle refuse que sa fille fréquente le lycée laïque.

Les professeurs de cette nouvelle institution vont venir de l'université et seront payés 5 $ de l'heure, un salaire énorme pour l'époque. Les cours sont donnés à la maison mère de la congrégation, afin de se démarquer des autres pensionnats pour filles. Elle est située dans l'ouest de la ville, au coin des rues Atwater et Sherbrooke (aujourd'hui le cégep Dawson). L'institution se nomme l'École supérieure pour jeunes filles, et le programme est celui du deuxième cycle des collèges classiques de garçons, mais les religieuses n'ont pas le droit d'utiliser le mot « collège » (réservé aux garçons).

Les étudiantes ne sont pas nombreuses, et encore moins nombreuses celles qui se rendent jusqu'au baccalauréat. D'ailleurs, les premières années, les religieuses assistent aux cours en même temps que leurs élèves et servent ensuite de répétitrices. Même la fondatrice, mère Sainte-Anne-Marie, doit passer son baccalauréat!

Marie-Justine Gérin-Lajoie termine son cours classique en 1911. Elle est la première bachelière québécoise. Elle est même arrivée première aux examens, devançant tous les bacheliers à l'épreuve du baccalauréat. Évidemment, on a discrètement caché ce résultat et on a accordé le premier prix, le prix Colin, à celui qui était arrivé deuxième. De quoi auraient eu l'air tous ces messieurs qui proclamaient partout que le cerveau féminin était incompatible avec les études supérieures ?

Toutefois, mère Sainte-Anne-Marie est consciente de la fragilité de son École supérieure. À chaque cérémonie de remise des diplômes, les invités du monde politique ou religieux ne manquent pas d'avertir les étudiantes que leur diplôme ne leur donne pas le droit de faire carrière. Mère Sainte-Anne-Marie prévient cependant ses bachelières :

« Si vous voulez tuer le collège, inscrivez-vous à l'université ! »

Quant à lui, le lycée laïque va réussir à survivre deux ans, mais devra finalement fermer, devant les difficultés financières et l'opposition de l'archevêque, qui interdit aux jeunes filles de le fréquenter.

Pendant les décennies suivantes, les féministes de la FNSJB vont confier aux religieuses le soin de développer des cours Lettres-Sciences[2], des collèges, des écoles normales[3], des écoles ménagères supérieures et des écoles supérieures de musique. Comme les féministes, les religieuses travaillent sous étroite surveillance.

L'École supérieure pour jeunes filles, dont les étudiantes deviennent rapidement des membres actives de la FNSJB, n'est pas la seule école qui s'associe à la Fédération. L'École ménagère provinciale, créée en 1904 par trois dames patronnesses de la Société Saint-Jean-Baptiste, avec l'appui de leurs maris, devient le pilier des œuvres d'éducation. On a envoyé les premières responsables suivre une formation à Fribourg en Suisse, et l'école a obtenu le droit de décerner des diplômes d'enseignement ménager. Cette école ménagère attire peu d'élèves à temps plein, mais ses cours du soir et du samedi sont très populaires. Cette école représente la timide version québécoise de la mission des féministes du monde entier, dont l'objectif est de professionnaliser le travail domestique pour en faire une occupation valorisée. En effet, à la même époque, les Américaines créent des programmes de *home economics* ; c'est de cette manière qu'elles contes-

---

2. Cours secondaire privé, réservé aux filles, qui correspond au Secondaire 5.
3. Établissement privé où sont formées les futures institutrices.

tent le statut dénigré de leurs responsabilités domestiques, symbole de leur infériorité dans la famille.

Il y avait ainsi au début du xxe siècle un grand nombre de femmes déterminées à sortir des sentiers battus et à prendre des responsabilités inédites dans la société. Le féminisme chrétien représentait pour elles un cadre stimulant et c'est pourquoi elles l'ont adopté avec tant d'enthousiasme. **Quelles ont été les principales activités de ces féministes montréalaises ?**

5

Les féministes à l'œuvre

À peine mise en place, la FNSJB est à l'œuvre sur plusieurs fronts, entre autres, celui de la campagne antialcoolisme et contre la mortalité infantile. À quoi bon les grands discours sur nos belles familles canadiennes, si nous ne faisons rien pour limiter les « abus de force » causés par l'alcoolisme des pères (c'est au moyen de cette expression timide que les féministes parlent à voix basse de la violence familiale), si nous ne faisons rien non plus pour éviter la mort des nourrissons souvent causée par l'ignorance des mères et la pauvreté ? Marie Gérin-Lajoie affirme :

« La vérité cruelle et désolante est que nos bébés meurent dans des proportions qui nous rapprochent des barbares. »

Un comité de tempérance est mis en place dès 1907. Les féministes font valoir qu'il y a quatre fois plus de débits de boisson que de boulangeries à Montréal. Elles proposent donc un amendement à la Loi des licences, afin de pouvoir s'opposer à l'ouverture de nouveaux débits de boisson. Elles réussissent à faire signer une pétition par 60 000 personnes et vont jusqu'à Québec pour défendre leur position devant le premier ministre Lomer Gouin. Elles sont accompagnées des dames du Montreal Local, qui ont participé à la pétition.

La fameuse pétition a été enroulée sur un cylindre de bois, et il faut deux hommes pour la transporter. Après bien des discussions et une contre-pétition présentée par les marchands d'alcool, un amendement semblable à celui qu'elles avaient proposé est finalement adopté. Le trésorier provincial déclare :

« Un principe approuvé par les femmes du pays devra assurer la réforme morale et le progrès. »

On commence alors à réaliser, dans certains milieux, que c'est peut-être une bonne chose que les femmes se mêlent de politique.

En effet, le nombre de « buvettes » diminue passablement à Montréal après cette loi.

Cette victoire entraîne cependant un surcroît de travail pour les membres de la Fédération. Il faut surveiller le registre municipal de demandes de permis, et dès qu'une demande apparaît, recueillir des signatures pour en empêcher l'ouverture. Les membres de la Fédération s'acquitteront de cette tâche ingrate jusqu'à ce que le contrôle de la vente de l'alcool devienne de juridiction provinciale en 1921.

Pour régler le problème de la mortalité infantile, les initiatives viennent de plusieurs sources, car la question préoccupe bien du monde : les médecins, l'Église, le gouvernement, les femmes et surtout les féministes. Une des causes principales est identifiée : la mauvaise qualité du lait. En effet, au début du xxe siècle, la pasteurisation du lait n'est pas encore obligatoire. L'été surtout, les maladies tuent des milliers d'enfants. Dès 1901, deux dépôts de lait pasteurisé sont ouverts à Montréal. Celui des anglophones est rattaché au Montreal Foundling and Baby Hospital. Celui des francophones se nomme la **Goutte de lait** et est dû à l'initiative de quelques médecins. La journaliste Madeleine Huguenin convainc ses patrons de *La Patrie* de subventionner l'initiative, qui ne dure malheureusement que cinq mois. La fondation de l'hôpital Sainte-Justine en 1907 permet l'ouverture d'une Goutte de lait permanente en 1910, puis d'une autre dans une paroisse ouvrière. C'est la naissance d'un mouvement qui va prendre beaucoup d'ampleur. La Fédération travaillera étroitement avec les médecins pour mettre en place un réseau à Montréal, entre 1914 et 1916. Elle réussit également à obtenir le salaire d'une coordonnatrice. Cela ne dure pas longtemps. Il semble bien que les médecins ne tolèrent pas que les femmes de la Fédération prennent des initiatives.

Caroline Leclerc-Hamilton établit, à Montréal en 1912, l'**Assistance maternelle**, un organisme chargé de soutenir les mères de la classe ouvrière : aide à l'accouchement, distribution de layette, conseils de puériculture. Ce service prendra une expansion considérable, et se répandra dans d'autres villes du Québec. Il est aussi affilié à la FNSJB.

La Fédération s'intéresse également à l'organisation du service domestique. Toutes ces dames ont bien besoin de personnel pour

Les féministes du début du xxᵉ siècle sont associées à la création des « Gouttes de lait » : ces organismes distribuent du lait pasteurisé aux familles avec de jeunes enfants et multiplient les conférences sur l'hygiène et la puériculture.

pouvoir se consacrer à leurs activités et elles se plaignent de la mauvaise formation de leurs servantes. L'École ménagère provinciale n'est pas suffisante. On met sur pied des cours destinés à la formation des servantes. À la FNSJB, on collabore à l'établissement d'un foyer pour les jeunes filles qui arrivent de la campagne pour travailler comme domestiques et d'un kiosque d'accueil dans les gares.

Tous ces services, il faut ensuite les répandre dans les paroisses, trouver des responsables, assurer leur formation. Dans les associations professionnelles, il faut organiser des cours d'économie domestique, des cours de perfectionnement, des caisses de secours mutuels (services d'assurances), améliorer les conditions de travail — par exemple, fournir des sièges aux demoiselles des magasins, soutenir les institutrices dans leur lutte pour modifier leur régime de pensions profondément discriminatoire. En effet, au début du xxᵉ siècle, 94 instituteurs retraités et 19 veuves d'instituteurs se partagent 53 % des sommes distribuées alors que 462 institutrices retraitées doivent se contenter du reste.

Il faut préparer des documents pour les enquêtes sur le travail industriel, organiser des tournées de conférences sur les droits civils des femmes mariées, sur l'hygiène, sur les soins à donner aux enfants. La Fédération dispose désormais d'un secrétariat ouvert au public six jours par semaine, tous les après-midi. S'y présentent surtout des femmes en détresse qu'on tente de diriger vers les services les plus adéquats. La Fédération prépare une grande campagne de souscription dont les profits sont remis aux diverses associations charitables de la ville. Elle publie un répertoire de ces organismes pour informer les gens. Ces initiatives sont absolument inédites à l'époque. Ce travail colossal est accompli de manière complètement bénévole par les membres de la FNSJB.

Dans certaines circonstances, les militantes de la Fédération coopèrent avec celles du Montreal Local, notamment pour la lutte antialcoolisme. Mais les différences entre les deux organismes sont de plus en plus marquées. Alors que la Fédération revendique des mesures protectrices destinées aux ouvrières, les membres du Montreal Local s'y opposent, soutenant qu'on ne peut exiger l'égalité avec les hommes et en même temps réclamer des mesures protectrices, comme l'interdiction du travail de nuit pour les femmes. En 1912, le Conseil national des femmes du Canada adopte une liste officielle de demandes intitulée «Women's Platform». Il y est question de l'«âge du consentement[1]», de la prostitution, des maris qui abandonnent leur femme, de l'autorité maternelle qu'on souhaite égale à l'autorité paternelle. Au Québec, les militantes de la Fédération discutent très rarement de ces questions qui soulèvent les passions dans le reste du Canada. C'est qu'elles travaillent toujours sous étroite surveillance. L'évêque ne tolère même pas qu'au congrès de 1911 on publie le texte qui rapporte le travail des sœurs de la Miséricorde auprès des filles mères !

Alors que le Conseil national des femmes du Canada est affilié au Conseil international des femmes, la Fédération demande plutôt son adhésion à l'**Union internationale des ligues féminines catholiques**. Et lorsque Carrie Derick, présidente du Montreal Local, invite Emmeline Pankhurst, la célèbre suffragette anglaise qui préconise des moyens spectaculaires pour obtenir le droit de vote des

---

1. Âge où une jeune fille est censée pouvoir accepter les rapports sexuels et le mariage.

femmes, à la Fédération, on reste prudemment à l'écart de ces conférences.

La Fédération a adopté la devise suivante : « Vers la justice par la
charité ». Cette devise reflète bien ce qu'est rapidement devenue cette
organisation féministe : une entreprise charitable, beaucoup plus que
revendicatrice. Cette tendance ira en s'accentuant avec les années,
puisque les militantes se trouvent piégées par cette conception du
« bon féminisme » continuellement prônée par les autorités religieuses. Marie Gérin-Lajoie explique pourquoi elles ont fait tant de
compromis :

« Nous étions un tel objet de scandale, en certains milieux, que
sans la sympathie que nous témoignait l'évêque et quelques membres
du clergé, nous aurions été mises au ban de la société. »

Comment la société canadienne-française réagit-elle au féminisme ? Certes, après deux décennies, le féminisme est implanté dans
la province, mais surtout à Montréal. En effet, le **Quebec Local**, établi
dans la ville de Québec en 1894, a dû fermer en 1900 : il n'a pas réussi
à s'implanter solidement et à obtenir la permission de l'évêque. Le
principal résultat de ce féminisme du début du XXe siècle est que les
femmes ont prouvé qu'il n'est pas nécessaire de se faire religieuse
pour agir sur les problèmes sociaux. Mieux, les féministes pensent
que ce sont les femmes qui devraient s'en occuper, et non pas l'Église
ou l'État, deux institutions dominées par les hommes. Certes, leurs
aspirations ne se sont pas réalisées concrètement. Pourtant, elles ont
proposé de nouvelles idées pour organiser l'assistance sociale. Elles
ont eu l'audace d'aller discuter directement avec les autorités religieuses et politiques pour promouvoir leurs idées. Apprenant que le
futur premier ministre du Canada, Sir Wilfrid Laurier, est opposé au
vote des femmes, Marie Gérin-Lajoie espère que les féministes le
convertiront !

De plus en plus, les féministes, qu'elles soient catholiques ou protestantes, en arrivent à la conclusion suivante : « Comme ce serait
plus facile si nous avions le droit de vote ! » Elles étaient quelques-
unes au début du siècle à réclamer l'égalité politique. Maintenant, la
plupart des féministes souhaitent obtenir le droit de vote. Elles savent
que le fait de s'être regroupées entre elles, et non plus sous l'autorité
des prêtres ou des hommes, leur a permis d'être beaucoup plus effi-

caces. Mais obtenir le droit de vote, participer au pouvoir, c'est une autre affaire! **Comment les féministes exigeront-elles le droit de vote?**

Les femmes s'organisent

1893 : Création du Conseil national des femmes du Canada (CNFC) par Lady Aberdeen

1893 : Création du Montreal Local Council of Women, associé au CNFC

1900 : Participation des féministes canadiennes à l'Exposition universelle de Paris

1907 : Fondation de la Fédération nationale Saint-Jean-Baptiste par Marie Gérin-Lajoie et Caroline Béique

1908 : Fondation de l'École supérieure pour jeunes filles par mère Sainte-Anne-Marie

Deuxième partie

Les féministes exigent de voter

1913-1940

6

The Montreal Suffrage Association et l'opposition au droit de vote

Ce qui se passe alors au Québec et au Canada est à l'image de ce qui se déroule dans de nombreux pays. À partir de 1908, le mouvement suffragiste en Grande-Bretagne entreprend des manifestations spectaculaires pour obtenir le suffrage féminin, autrement dit, le vote des femmes. Constatant que la persuasion et les discussions avec les députés n'ont produit aucun effet, les féministes changent de stratégie et n'hésitent plus à enfreindre la loi pour exiger le droit de vote. Les « suffragettes », ainsi qu'on les nomme, s'enchaînent aux grilles et sont arrêtées et emprisonnées. Cherchant en vain à obtenir un rendez-vous avec le premier ministre, elles se « déguisent » en envoi postal : une représentant l'enveloppe et l'autre le message. Les suffragettes font régulièrement les manchettes, surtout quand elles se défendent contre les policiers. Comme plusieurs d'entre elles sont emprisonnées, elles protestent en faisant la grève de la faim. Elles sont alors nourries de force, et de nouvelles manifestations exigent leur libération. On n'a pas idée de l'ampleur des manifestations qui sont organisées en Grande-Bretagne entre 1910 et 1914.

À partir de 1912, la question du vote des femmes devient un élément central de l'actualité dans plusieurs pays. En 1913, Emily Wilding Davison croit qu'il faut que le sang soit versé pour la cause et elle n'hésite pas à se jeter sous les pas des chevaux pendant une course à Derby. Ce suicide dramatique, pour la cause féministe, fait sensation. Ses funérailles sont l'occasion d'un défilé gigantesque à Londres. Pourquoi a-t-on oublié aujourd'hui le sacrifice d'Emily Wilding Davison ?

Certes, au Canada, le mouvement est beaucoup moins spectaculaire, mais les journaux parlent des suffragettes tous les jours. Au

début de 1913, stimulées par l'exemple des Britanniques, les féministes canadiennes entreprennent une vigoureuse campagne en
faveur du droit de vote. C'est à ce moment qu'entre en scène au
Québec le journaliste Henri Bourassa, alors au sommet de sa popularité après avoir fondé le quotidien nationaliste *Le Devoir* en 1910. Il
est farouchement opposé au féminisme et il publie, en 1913, une série
d'articles à ce sujet. Pour lui, il est clair que le féminisme est une
menace pour la famille et la civilisation canadienne-française. Dans
son esprit, c'est une erreur protestante, aussi dangereuse que le socialisme. L'antiféminisme venait de trouver son premier grand ténor.

C'est cette même année que les militantes du Montreal Local décident de créer une association vouée à la défense du vote féminin : la
Montreal Suffrage Association. Carrie Derick, première Canadienne
à devenir professeure d'université, en devient la présidente. On monte
une pièce de théâtre, on présente un film, on fait signer des pétitions,
on rédige des lettres aux différents paliers de gouvernement. On proteste contre le traitement infligé aux suffragettes britanniques :

« Ils font revivre les tortures médiévales et sont une contradiction
avec les principes traditionnels de la justice britannique. »

On installe des kiosques au centre-ville pour diffuser ces nouvelles
idées. En novembre, *The Montreal Herald*, le seul quotidien de

CARRIE DERICK (1862-1941)
Première Canadienne professeure
d'université, elle devient la
présidente de la Montreal Suffrage
Association en 1913. Elle est une
fervente partisane de l'égalité entre
les femmes et les hommes.

Montréal à appuyer le suffrage féminin, publie un numéro spécial et le fait vendre dans les rues par des femmes. Ô scandale!

Également en 1913, la FNSJB lance une revue, *La Bonne Parole*. L'opposition des nationalistes au féminisme incite Marie Gérin-Lajoie à la prudence. Le ton des articles est très modéré et on se garde bien de faire référence au vote féminin.

À l'été de 1914, commence en Europe une guerre qui prend rapidement une ampleur mondiale. On espérait qu'elle serait de courte durée, mais elle s'éternise pendant quatre longues années. C'est la «Grande Guerre». La question du vote des femmes quitte alors le devant de la scène, ce qui n'empêche pas les militantes de la Montreal Suffrage Association de poursuivre leurs campagnes de mobilisation. D'ailleurs, les femmes s'activent immédiatement pour soutenir l'effort de guerre du Canada: collecte de fonds pour la Croix-Rouge, aide aux prisonniers, préparation de colis, fabrication de pansements.

On a recours au travail des femmes dans de nombreux secteurs et particulièrement dans l'industrie de l'armement, pour compenser l'absence des hommes partis se battre en Europe. Les féministes canadiennes, qui avaient toujours espéré que leur action demeurerait non partisane, ont bien du mal à rester au-dessus des luttes de partis. Elles sont profondément divisées sur plusieurs questions: la syndicalisation des ouvrières, le vote des femmes et la conscription[1] des soldats. En 1916, une féministe de l'ouest du Canada suscite une tempête de protestations quand elle suggère que le vote ne devrait être accordé qu'aux femmes d'origine britannique!

La réaction d'Henri Bourassa est un indice que l'opinion publique se braque désormais contre le féminisme. Jusqu'alors, les autorités laissaient faire, estimant que le mouvement féministe était inoffensif. Maintenant, le féminisme est perçu comme un mouvement dangereux. Depuis quelques années, même le «bon féminisme» est devenu suspect. Dans les journaux, les nouvelles journalistes qui ont remplacé les pionnières changent de ton. Elles mettent les femmes en garde contre le féminisme. Dans *Le Devoir*, Fadette (pseudonyme d'Henriette Dessaulles, cousine d'Henri Bourassa) supplie les femmes de ne pas se poser en rivales de l'homme. Colette (pseudonyme

---

1. L'enrôlement obligatoire dans l'armée de jeunes gens en âge d'aller au front.

d'Édouardina Lesage), dans *La Presse,* oppose les féministes et les vraies femmes. Elle est bien terminée l'époque des articles mobilisateurs de Joséphine Dandurand et de Robertine Barry ; Joséphine est maintenant malade et retraitée de la vie publique et Robertine est décédée en 1910.

De toute évidence, les opposants au féminisme ne connaissent pas les idées des militantes : ils pensent que les femmes veulent prendre la place des hommes, alors que, bien au contraire, les féministes souhaitent de meilleurs droits pour mieux jouer leur rôle de mère et de femme. Cette idée constitue alors la base de leur action, bien plus que l'idéal de l'égalité entre les hommes et les femmes.

Le fait que les femmes se réunissent dans des associations autonomes paraît donc de plus en plus menaçant. C'est pourquoi les autorités religieuses et politiques du Québec songent à opposer d'autres groupes aux féministes. C'est dans ce contexte que des responsables du ministère de l'Agriculture mettent en place en 1915 les **cercles de fermières**, dans le but d'inviter les femmes à s'opposer à l'exode rural. Des associations semblables avaient d'ailleurs été créées au Canada anglais dans le même objectif : les **Women's Institutes**.

Les cercles de fermières obtiennent rapidement un grand succès auprès des femmes de la campagne, qui étaient restées jusque-là à l'écart du mouvement féministe. Deux ans après la fondation, il y a déjà 10 cercles de fermières dans différentes régions du Québec. Pour les femmes de la campagne, cette association représente une occasion inédite de sortir de la maison. Les réunions ont lieu le dimanche, avant ou après la messe, et les femmes sont nombreuses à y participer. Le ministère de l'Agriculture distribue des œufs, des semences, des ruches, pour inciter les femmes à pratiquer l'aviculture, l'horticulture, l'apiculture, toutes ces formes d'agriculture dites féminines. On offre des cours d'artisanat et de cuisine. L'un des fondateurs, l'agronome Georges Bouchard, rassure ceux qui s'inquiètent de cette nouvelle association :

« Ceux qui craignent de voir leurs jeunes filles devenir des suffragettes ou des émancipées n'auront qu'à apprendre à connaître le fonctionnement des cercles [...] pour voir leurs objections se dissiper. »

L'association, en effet, est fermement encadrée par les responsables du ministère de l'Agriculture. Alors que les femmes responsables des

Women's Institutes partagent souvent les objectifs des féministes, les responsables des cercles de fermières ont des opinions beaucoup plus conservatrices et s'opposent même aux revendications féministes.

Pendant ce temps, les militantes de la Montreal Suffrage Association continuent leur combat. Leurs actions sont cependant beaucoup moins spectaculaires qu'en Grande-Bretagne. Elles s'installent au Edinburg Café, trois heures par jour, pour diffuser des pamphlets, des livres, informer les femmes des aberrations du Code civil du Québec, des conditions de travail des ouvrières. Une brochure d'information sur la situation juridique des femmes se vend à 3000 exemplaires! Elles organisent aussi des conférences et restent en lien avec les autres associations suffragistes du Canada.

C'est au cours de la Première Guerre mondiale que les féministes de plusieurs provinces canadiennes font adopter le suffrage féminin. Le vote est accordé au Manitoba, en Saskatchewan et en Alberta en 1916, en Colombie-Britannique et en Ontario en 1917. Dans certains parlements provinciaux, des femmes sont même élues députées et nommées ministres! En effet, depuis 1895, le droit de vote a été déclaré de compétence provinciale, ce qui permet aux provinces d'avoir une loi électorale différente de celle du gouvernement fédéral.

Comme de raison, au Québec, les hommes politiques, les journalistes, les évêques s'opposent unanimement au vote des femmes. Les juristes surtout s'y opposent. Pour eux, le droit de vote est inconciliable avec le Code civil en vigueur au Québec, selon lequel les femmes sont des incapables devant la loi. De nombreuses femmes s'y opposent également. **Qu'est-ce qui pourra modifier cette opposition?**

7

Le droit de vote au niveau fédéral

Vers la fin de la guerre, en juillet 1917, une loi rend obligatoire la conscription des jeunes hommes dans l'armée, au lieu de ne compter que sur leur engagement volontaire. Au Québec, cette loi suscite une vive opposition et des manifestations hostiles. Les nationalistes ne veulent pas «mourir pour l'Angleterre!». Aux élections fédérales de décembre 1917, les opposants menacent de renverser le gouvernement conservateur en place. Aussi, Borden, le premier ministre du Canada, fait adopter la Loi électorale en temps de guerre, qui, entre autres, donne le droit de vote aux femmes qui ont un fils ou un mari à la guerre : comme les anglophones sont majoritaires dans l'armée canadienne, ce seront donc surtout leurs mères et épouses, plus favorables à la politique du gouvernement, qui vont voter.

Cette loi donne à Marie Gérin-Lajoie l'occasion de sortir de son mutisme prudent concernant le vote des femmes. Elle écrit au premier ministre du Canada :

«Nous réclamons le droit de vote pour les femmes, au même titre qu'aux hommes dans les élections fédérales, afin de reconnaître les immenses services qu'elles ont rendus pendant la guerre en assistant les blessés, notamment dans la Croix-Rouge et en se livrant à des œuvres humanitaires qui honorent ce pays.»

Et elle informe ses lectrices de *La Bonne Parole* :

«Le droit de vote partiel qu'on vient d'accorder aux femmes comporte plus de mépris que d'hommage. Car ce vote est plutôt un droit accordé aux soldats de voter plusieurs fois par l'intermédiaire de parentes.»

Pour manifester son opposition, elle publie dans *La Bonne Parole* les noms des députés qui ont voté «pour» et «contre» la loi. Les féministes doivent connaître leurs alliés et leurs ennemis! Plusieurs féministes canadiennes protestent également. Ce n'est qu'une question de temps pour que toutes les femmes obtiennent le droit de vote, car les idées ont commencé à changer.

Dès l'année suivante, en avril 1918, le premier ministre Borden décide de modifier de nouveau la loi électorale en accordant le droit de vote, au niveau fédéral, à toutes les femmes majeures. La loi est adoptée malgré une farouche opposition, provenant surtout des députés québécois. Les Québécoises obtiennent donc le droit de voter aux élections fédérales.

Toutefois on n'en parle presque pas dans les journaux, car l'opinion publique est alors entièrement tournée vers la guerre qui s'éternise en Europe et provoque au Canada une crise nationale à cause de la conscription ; la crise de la conscription suscite une émeute meurtrière dans la ville de Québec. Seul Henri Bourassa proteste contre ce nouveau droit accordé aux femmes par une série d'articles aux titres flamboyants : « Désarroi des cerveaux - triomphe de la démocratie », « Le droit de voter - la lutte des sexes - laisserons-nous avilir nos femmes ? », « L'influence politique des femmes. Pays avancés - femmes enculottées ».

Ces articles indiquent qu'il ne sera pas facile pour les femmes du Québec d'obtenir le droit de vote au provincial, puisque ce droit est présenté comme une menace à la différence canadienne-française et catholique. Les nationalistes de tout crin s'opposent au vote des femmes. Le discours officiel exalte le rôle séculaire des femmes, celui de mère. En 1918, un prêtre évoque « la revanche des berceaux », qui permettra aux Canadiens français de demeurer nombreux et de conserver leur influence au sein du Canada. Le devoir nationaliste des femmes consiste à faire des enfants !

Certes, à Montréal, comme à travers le Canada, les féministes se réjouissent que le pays figure désormais au rang des quelques nations qui ont accordé le droit de vote aux femmes. À titre de comparaison, précisons qu'aux États-Unis on ne leur a accordé ce droit qu'en 1920, à la suite d'une lutte mémorable ; en Grande-Bretagne en 1928, en France, aussi tard qu'en 1944 !

En 1921, lors des élections fédérales suivantes, les femmes peuvent aller voter pour la première fois. À Montréal, les responsables de la FNSJB prennent leur nouveau devoir de citoyennes très au sérieux.

Elles décident d'organiser des cours de formation politique destinés aux femmes. Ces cours ont lieu à l'Université de Montréal, ce qui en démontre l'importance, et avec l'appui des autorités religieuses, ce qui en assure la légitimité. Mais ces cours sont inaccessibles aux femmes qui n'habitent pas Montréal. Des centaines de femmes se pressent aux conférences, qui sont rigoureusement non partisanes : il s'agit de rendre les femmes conscientes de leurs nouvelles responsabilités politiques. Le jour de l'élection, contrairement aux prédictions qui laissaient entendre que la présence des femmes dans les bureaux de scrutin causerait du désordre, les électrices sont nombreuses à voter et le vote des femmes ne cause aucun incident fâcheux. **Mais comment faire maintenant pour obtenir le droit de vote à Québec ?**

8

Première tentative à Québec

Les féministes du Québec comprennent en effet que la lutte pour le vote féminin devra dorénavant se poursuivre au niveau provincial. En 1922, grâce à la force de persuasion d'Idola Saint-Jean, une jeune militante de la Fédération nationale Saint-Jean-Baptiste, on met sur pied un nouveau groupe qui réclame le droit de vote : c'est le **Comité du suffrage provincial**, un comité bilingue avec deux présidentes : Marie Gérin-Lajoie et Anna Lyman, alors présidente du Women's Club. Idola Saint-Jean en est la secrétaire, et ses idées sont beaucoup plus avancées que celles de Marie Gérin-Lajoie. Les

IDOLA SAINT-JEAN (1880-1945)
Membre active de la Fédération nationale Saint-Jean-Baptiste dès la fondation, elle s'implique dans la lutte pour le droit de vote et fonde, en 1927, l'Alliance canadienne pour le vote des femmes du Québec. Elle est titulaire d'une chronique bilingue dans le *Montreal Herald* sur les droits des femmes en 1929 et publie *La Sphère féminine* à partir de 1933. Elle se présente aux élections fédérales en 1931 et obtient 3000 votes.

discussions sont vives autour d'un projet de délégation à Québec pour réclamer le suffrage féminin.

« Est-ce le bon moment pour agir ?

— Oui, répond Anna Lyman, à qui un député a confié que le premier ministre Taschereau y était favorable.

— Sommes-nous prêtes ?

— Non ! protestent plusieurs anglophones, qui estiment que les Canadiennes françaises ne sont pas assez nombreuses à vouloir le vote.

— Oui ! répond Marie Gérin-Lajoie. »

Elle en est persuadée et elle annonce qu'elle a même l'appui d'une des responsables des cercles de fermières, une organisation pourtant défavorable au droit de vote.

La discussion est très animée. Le Comité adopte finalement, à la majorité des voix, l'organisation d'une activité spectaculaire pour convaincre le gouvernement que, si les femmes peuvent voter à Ottawa, elles devraient aussi pouvoir le faire à Québec.

Une délégation de plus de 500 femmes se rend donc à Québec le 9 février 1922 pour appuyer un projet de loi qui leur accorderait le droit de vote. Marie Gérin-Lajoie, Idola Saint-Jean et une nouvelle venue, Thérèse Casgrain, s'adressent aux députés au nom des francophones ; Carrie Derick, Dr Grace Ritchie-England, Julia Drummond parlent au nom des anglophones. Poliment, les députés et le premier ministre Alexandre Taschereau écoutent les discours. Quelle sera la réaction du premier ministre ? Taschereau répond immédiatement qu'il croit que sans doute, un jour, les femmes du Québec pourront voter, mais que ce n'est pas **son** gouvernement qui le leur accordera. La désillusion est totale. Comme le laissait pressentir la réponse du premier ministre, le projet de loi n'est pas adopté.

Cet événement réveille les adversaires du féminisme. Les évêques proclament leur opposition au droit de vote, surtout l'évêque de Québec, Mgr Roy. On fait circuler une pétition signée par 30 000 femmes qui déclarent qu'elles ne souhaitent pas voter. Des articles sont publiés dans *La Bonne Fermière*, revue destinée aux cercles de fermières, contre le suffrage féminin. *Le Devoir* publie les opinions des « antisuffragistes ». Un article du recteur de l'Université Laval, Louis-Adolphe Paquet, tente de démontrer, théologie et philosophie

THÉRÈSE FORGET-CASGRAIN.
(1896-1981)
Thérèse Casgrain se fait connaître
des féministes en 1922, en
prononçant un discours à
l'Assemblée législative lorsqu'une
délégation de femmes se rend à
Québec pour réclamer le droit de
vote. Elle fonde la Ligue des droits
de la femme en 1928, fait des
conférences à la radio au milieu
des années 1930.

DELEGATION FEMININE AUPRES DE NOS MINISTRES

UN GROUPE DE NOS MONTRÉALAISES ARRIVANT AU PALAIS LÉGISLATIF, hier après-midi, en délégation, sous la présidence de lady Drummond et de Mme F. L. Béique, afin de demander le suffrage féminin au gouvernement provincial. Dans cette vignette on peut apercevoir lady Drummond, Mmes F. L. Béique, Henri Gérin-Lajoie, Miles Idola Saint-Jean, Georgette Le Moyne, Cécile Mignault, Mmes Pierre Casgrain, Drouin, G. A. Marsan, Mlle Bonsquet, Mmes A. Taschereau, Angers, I. de G. Stewart, Athanase David, Israel Tarte, J.-E. Doré, Henriette Tasse, H. Papineau, Mlle Eglantine Barré.

Des centaines de femmes se rendent à Québec, le 10 février 1922, pour réclamer officiellement le droit de vote. La premier ministre Alexandre Taschereau leur répond que même s'il croit que les femmes vont voter un jour, ce ne sera pas «son» gouvernement qui va le leur accorder.

à l'appui, «que le féminisme est un mouvement pervers, qui menace les bases de la famille et de la société».

Marie Gérin-Lajoie, exaspérée par le ton que prend la campagne de dénigrement du vote des femmes, et surtout par l'opinion des évêques, va voir Pietro du Maria, le délégué du pape, pour lui demander conseil.

«Mais vous ne relevez pas de l'évêque de Québec, lui explique-t-il. Allez donc!»

Elle prend ainsi la décision d'aller à Rome chercher des directives auprès du pape lui-même. L'évêque de Québec est en colère. Il l'accuse de «vouloir faire une Église dans l'Église». Mais Marie Gérin-Lajoie est décidée: elle ira à Rome, au congrès de l'Union internationale des ligues féminines catholiques. **Cette démarche extraordinaire portera-t-elle ses fruits?**

9

Le congrès de Rome

Marie Gérin-Lajoie se rend au congrès de l'Union internationale des ligues féminines catholiques à Rome en compagnie de Georgette Lemoine, secrétaire de la Fédération nationale Saint-Jean-Baptiste. Elle s'inscrit à la Commission politique. Les autres commissions étudient la « propagation de la foi[1] », la « traite des blanches » et « l'immoralité des modes et du cinéma ». Les déléguées viennent surtout de France, d'Italie, d'Espagne, de Pologne et d'Allemagne. La présidente est une comtesse polonaise. Les discussions se déroulent en français. Quelle bonne idée a eue Marie Gérin-Lajoie d'affilier la Fédération à l'Union internationale des ligues féminines catholiques en 1911 !

À sa grande satisfaction, après de longues discussions, les femmes qui participent à la Commission politique adoptent la proposition suivante :

1. Que les femmes catholiques de tous les pays comprennent leur responsabilité morale en face du suffrage électoral, quel qu'en soit le mode.
2. Que les femmes se préparent à leur rôle par une formation morale et religieuse et civique qui les rende aptes, le cas échéant, à cet apostolat[2].

Quelle volte-face ! L'Église s'est toujours opposée au vote des femmes. Que s'est-il passé pour qu'elle change d'opinion ? C'est que

---

1. Expression qui désigne l'objectif de l'Église catholique de convertir toute l'humanité à la foi catholique.
2. Mission qui exige les qualités d'un apôtre. Ce mot est constamment utilisé dans les milieux catholiques de l'époque.

Congrès des ligues féminines catholiques à Rome en 1922
Fondée en 1910, l'Union internationale des ligues féminines catholiques tient un important congrès à Rome en 1922, après la Première Guerre mondiale. Marie Gérin-Lajoie, qui a affilié la Fédération nationale Saint-Jean-Baptiste à cette organisation dès 1911, s'y rend afin d'obtenir des directives pontificales sur la question du vote des femmes.

la guerre de 1914-1918 a bouleversé la situation politique en Europe, et, surtout, la révolution communiste de 1917 en Russie semble menaçante pour l'Église et les différents gouvernements européens. Ces bouleversements politiques se sont accompagnés d'un changement culturel sans précédent, y compris dans la vie des femmes. Il est difficile d'imaginer aujourd'hui ce qu'a représenté, dans les années 1920, le fait que les femmes raccourcissent leurs robes et circulent dans la rue en montrant leurs jambes. Cette nouvelle mode a été adoptée avec enthousiasme par les jeunes femmes, enchantées de ne plus avoir à marcher en nettoyant les trottoirs et les planchers avec leurs longues jupes. Plus extraordinaire encore, les femmes ont coupé leurs cheveux. Une nouvelle coupe, dite « à la garçonne », devient populaire. Ce geste représente une véritable transgression dans l'esprit des hommes. Que dire alors du fait que les femmes commencent à porter le pantalon pour pratiquer des sports ? Le cinéma, le jazz, l'automobile, les danses à la mode, le maquillage semblent autant de menaces à la morale pour les autorités religieuses.

L'Église catholique souhaite donc rallier les femmes pour stopper l'influence des communistes en Europe et celle du modernisme dans la société ; c'est ce qui a incité le pape Benoît XV et son successeur Pie XI à modifier l'opinion de l'Église catholique concernant le suffrage des femmes. Le pape espère en effet que les femmes voteront contre les partis communistes et soutiendront les partis catholiques. Ainsi, il semble qu'il n'y ait plus d'obstacle dans la doctrine officielle de l'Église contre le suffrage des femmes. Dans cette perspective, le vote devient même un devoir catholique !

Or, au moment de la réunion plénière qui termine le congrès de Rome, Marie Gérin-Lajoie découvre avec stupéfaction qu'une troisième proposition a été ajoutée :

3. Que toute nouvelle initiative sur le terrain du suffrage féminin soit soumise d'avance dans chaque pays à l'approbation de l'épiscopat[3].

Marie est désarçonnée. Qui a pu ajouter cette troisième proposition ? Elle tente en vain de la faire supprimer. Elle découvrira plus tard que c'est un prélat romain qui a rencontré Henri Bourassa, alors en voyage à Rome. Celui-ci l'a convaincu d'ajouter cette troisième proposition. Il a fait valoir que dans plusieurs pays, la situation politique ne justifie pas le vote féminin.

Il a affirmé :

« Le suffrage féminin ne peut se justifier [chez nous], étant la conséquence néfaste des horreurs de 1914-1918 [en Europe]. »

Un évêque déclare plus tard :

« Le vote des femmes, qui dans d'autres pays peut être utile à l'Église, ne lui serait ici pour le moment d'aucune utilité. »

D'ailleurs, à peine revenu de Rome en juin, Henri Bourassa fait imprimer à la une du *Devoir* la fatidique troisième proposition.

Découragée, Marie Gérin-Lajoie démissionne de son poste de présidente du Comité du suffrage provincial dès son retour à Montréal.

---

3. Autrement dit, les évêques de chaque pays.

Elle continue par ailleurs son action pour éveiller les femmes au féminisme. En même temps, elle arrache à Mgr Gauthier, l'évêque de Montréal, le droit de poursuivre l'organisation des cours d'éducation politique pour les femmes, si bien entamée en 1921. Elle souhaite ainsi faire indirectement la promotion du suffrage des femmes, ce que l'évêque ne lui permet qu'à titre privé : pas au nom de la FNSJB.

Qu'à cela ne tienne! Elle multiplie les circonstances où il est nécessaire d'aborder la question de l'indispensable participation des femmes à la politique : la nomination d'une femme au Conseil de l'instruction publique ; les élections municipales où les veuves et les femmes célibataires ont droit de vote ; la création d'une Commission pour réglementer le travail des femmes. Comme les féministes réclament de nombreuses fois du gouvernement provincial des pensions pour les mères de famille dans le besoin, cette demande incite le premier ministre Taschereau à déclarer :

« Si on accorde le vote aux femmes, il faudra accorder la pension aux mères ! »

En 1926, une délégation se rend à Québec dans l'espoir de présenter leur point de vue dans la salle de délibérations où discute un comité. Après les avoir fait attendre de neuf heures et demie du matin à minuit, le comité refuse de les entendre ! Quelle humiliation ! Tenace, Marie ne se décourage pas. Elle continue, à titre personnel, à participer aux rares réunions du Comité du suffrage provincial, et réclame avec entêtement une rencontre avec l'évêque auxiliaire de Montréal, Mgr Gauthier, pour le faire changer d'idée. L'évêque ne répond même pas à ses lettres. En 1928, à l'occasion de l'Assemblée annuelle de l'Assistance maternelle, il proclame :

« Le féminisme est une maladie qui a besoin d'être guérie par d'autres œuvres que celles de la politique ; quand vous aurez une femme député de plus, vous ne règlerez rien. »

Le lendemain, les journaux titrent : « La femme doit déserter la politique pour se vouer à la charité ».

De 1922 à 1928, Marie Gérin-Lajoie n'a pas cessé de réclamer à son évêque le droit de faire la promotion du suffrage des femmes. En même temps, elle solidifie les assises de la Fédération nationale Saint-Jean-Baptiste. Elle achète une maison pour la Fédération et organise des campagnes de financement, le « denier du peuple », pour pouvoir l'aménager. Elle y organise des réunions, des cours, des conférences. La maison de la Fédération est une ruche bourdonnant d'activités. Pour la publication de sa revue, *La Bonne Parole*, la Fédération peut compter sur le soutien des Sœurs du Bon-Conseil, la congrégation religieuse fondée par Marie-Justine, devenue sœur Gérin-Lajoie.

Ce n'est qu'en 1929 que Marie Gérin-Lajoie, qui ne cesse pas pour autant son engagement féministe, abandonne le combat du droit de vote : elle a alors 62 ans et se bat depuis 36 ans ! **Qui donc prendra la relève ?**

10

Deux nouvelles associations féministes

Thérèse Casgrain est devenue présidente du Comité du suffrage provincial en 1927. Idola Saint-Jean, fondatrice en quelque sorte de ce comité, considère qu'il ne représente pas toutes les femmes, car il regroupe trop de femmes de la bourgeoisie. Elle fonde alors de son côté l'**Alliance canadienne pour le vote des femmes du Québec**. Elle se flatte d'avoir rassemblé plus de 300 Montréalaises dans son organisation, des femmes de la classe ouvrière, notamment. En 1928, Thérèse Casgrain change le nom du Comité en **Ligue des droits de la femme**. Elle élargit ses objectifs : elle réclame des modifications au Code civil et le droit pour les femmes d'être admises au Barreau, c'est-à-dire, de pratiquer la profession d'avocate. La Ligue regroupe quelques dizaines de membres. Heureusement, les deux associations travaillent ensemble. Elles sont ouvertes aux femmes de toutes les religions. Catholiques et protestantes collaboreront. Comme à la Fédération, elles travaillent de manière bénévole. Les deux présidentes, Thérèse Casgrain et Idola Saint-Jean, deviennent désormais les principales porte-parole des féministes.

En 1915, l'État avait réagi à la création de la première association suffragiste en créant les cercles de fermières. Cette fois, c'est l'Église qui riposte en suscitant de nouvelles associations féminines. Elle établit la **Ligue féminine catholique** en 1929, qui se consacre à la promotion de la modestie[1] féminine et de la morale catholique. Cette association recrute rapidement des milliers de femmes ; elle en compte 2000 dès la fondation et 70 000 en 1932 !

On crée aussi, au même moment, un regroupement des amicales d'anciennes, comme on en trouve dans chaque pensionnat de religieuses : c'est l'**Association fédérée des anciennes élèves des couvents**

---

[1]. Pudeur, surtout dans la tenue vestimentaire : pas de manches ni de jupes courtes, pas de pantalons, pas de bras nus, pas de décolleté, pas de maquillage !

catholiques du Canada. L'initiative vient de l'Ontario, car on veut imiter les *alumnae*[2] des anglophones. Comme la plupart des femmes sont obligées de fréquenter un pensionnat pour faire leurs brèves études, le recrutement est important. En 1933, plus de 170 amicales sont fédérées, regroupant 35 400 membres. Dans ces amicales, les femmes sont mobilisées par des objectifs essentiellement charitables. On se garde bien d'aborder les questions litigieuses des droits des femmes. Les femmes, qu'on se le dise, ont des devoirs! Toutefois, ce mouvement ne dure pas: il met fin à ses activités au milieu des années 1930, les évêques et les congrégations religieuses souhaitant demeurer plus indépendantes d'un mouvement venu de l'Ontario. Les amicales continueront toutefois d'exister dans chaque pensionnat.

Cette concurrence n'empêche pas les féministes de poursuivre leur action. Chaque année, les militantes de la Ligue et de l'Alliance convainquent un député du parti au pouvoir de présenter un projet de loi à l'Assemblée législative de Québec pour accorder le droit de vote aux femmes. Chaque année, elles se rendent en «pèlerinage», selon leur expression, pour assister, du haut de la galerie des visiteurs, au débat des députés qui discutent du projet. Chaque année, elles entendent un chapelet de sornettes. Année après année, après année! Tout est toujours à recommencer! On traite toujours les militantes de «suffragettes»!

«Si je suis féministe, je ne suis pas une suffragette! répond Thérèse Casgrain. Je voudrais que nos réclamations se fassent avec beaucoup de modération, de mesure et de sérénité.»

Pour bien le démontrer, en 1929, elle fait parvenir au premier ministre Taschereau une gerbe de 63 roses à l'occasion de son anniversaire. Ses arguments invoquent la justice, le droit, la logique, l'évolution de la démocratie. Sa collègue Idola Saint-Jean est un peu plus radicale. Elle formule son espoir:

«L'homme abolira la dernière aristocratie survivante: l'aristocratie des sexes.»

Elle ne parle pas de sexisme, le mot n'est pas encore inventé! Toutefois, elle laisse entendre qu'une domination des hommes sur les femmes est à l'origine des injustices que les féministes dénoncent.

---

2. Associations qui regroupent les anciennes étudiantes qui ont fréquenté un même collège et qui organisent diverses activités.

C'est alors que le gouvernement décide de mettre en place, en 1929, une Commission d'enquête pour étudier la question des droits civils des femmes mariées : la Commission Dorion. Le premier ministre veut sans doute se faire pardonner son opposition au vote des femmes. Tous les groupes féministes, y compris la FNSJB et Marie Gérin-Lajoie, présentent leurs mémoires aux audiences publiques, à Montréal et à Québec. Bien entendu, la Ligue des droits de la femme, l'Alliance canadienne pour le vote des femmes du Québec et le Montreal Local y participent également. Pour Marie Gérin-Lajoie, c'est l'aboutissement d'une campagne personnelle, qu'elle poursuit depuis plus de 30 ans. En 1926, en pensant au statut des femmes mariées qui n'ont même pas le droit de posséder un compte de banque à leur nom, elle déplorait la situation :

« Québec est la risée de l'univers ! »

Les associations féministes réclament la modification de plusieurs articles du Code civil pour mettre fin à la subordination des épouses dans le mariage et défendent solidement leurs demandes. Elles identifient les articles du Code qu'elles souhaitent faire amender et suggèrent les nouvelles formulations. Leur vocabulaire est direct. Marie Gérin-Lajoie parle de « joug », Idola Saint-Jean parle d'« esclavage », Thérèse Casgrain parle d'« abus.

Dans le rapport de la Commission Dorion rendu public en 1931, seules quelques-unes de leurs demandes ont été reprises parmi les recommandations : que les femmes aient le droit de conserver leur salaire (auparavant il appartenait à leur mari !) ; que les femmes séparées puissent être tutrices de leurs enfants et soient mieux protégées.

Les commissaires ont par contre refusé de supprimer la subordination légale des épouses ainsi que la « loi du double standard », article du Code selon lequel un mari a le droit de demander la séparation de corps quand sa femme commet l'adultère alors qu'une épouse n'a le droit de le faire que si son mari entretient sa concubine sous le toit conjugal ! Ils déclarent :

« L'injure faite au mari est plus grande et le pardon vient plus naturellement au cœur de l'épouse ! »

La question des droits civils des femmes mariées va demeurer encore longtemps au cœur des revendications des féministes. **Cet échec va-t-il décourager les féministes ?**

La lutte pour le droit de vote se poursuit malgré la crise économique

Les années 1930 ont été particulièrement éprouvantes pour la population, à cause de la crise économique, « la dépression », comme on dit. La lutte pour le droit de vote se poursuit, mais est constamment éclipsée dans l'actualité par la situation économique. Le taux de chômage est très élevé et dépasse 33 % ! La pauvreté, voire la misère se retrouve dans toutes les villes. De nouveaux mouvements politiques comme le socialisme et le communisme, qu'on croyait limités à l'Europe, se développent au Québec. Un nouveau courant, le fascisme, apparu en Italie, devient aussi populaire au Québec. De toute évidence, on est à la recherche d'un nouvel ordre social et politique.

Une première maison pour accueillir les femmes et leurs enfants

Sans protection sociale, bien des gens ont du mal à survivre. Les femmes seules sont particulièrement vulnérables. C'est d'ailleurs à cette époque, en 1932, qu'apparaît à Montréal une nouvelle « œuvre » : une maison destinée à accueillir des « chômeuses découragées, des filles débarquées de la campagne et perdues dans la grande ville, d'autres qui avaient un emploi mais gagnaient un salaire de misère, des filles en détresse qui s'étaient fait berner par un pseudo fiancé peu scrupuleux, des filles grosses d'un enfant qu'elles n'avaient pas désiré et qui ne savaient où cacher leur ventre alourdi ». Yvonne Maisonneuve en est la fondatrice. Elle s'entoure d'associées qui ne sont pas des religieuses ni issues de la bourgeoisie. Chaque année, la plupart de ces femmes renouvellent leur engagement. Toutefois, Yvonne de Maisonneuve ne réussit pas à obtenir l'approbation des autorités religieuses ni pour son groupe d'associées, ni pour la maison refuge qu'elle vient d'ouvrir. Les autorités municipales utilisent alors ce prétexte pour ne pas lui accorder de subventions. Que faire pour soutenir toutes les femmes et les enfants qu'elle héberge dans sa maison ? Elle invente la formule de sollicitation directe de nourriture auprès des fournisseurs qui permet à la maison de survivre, rue Fairmont d'abord, puis rue La Gauchetière. C'est la première maison qui accueille les femmes en difficulté avec leurs enfants. Cette œuvre, qui prend le nom de **Notre-Dame de la Protection** en 1936, est à l'origine du Chaînon, un refuge bien connu aujourd'hui. Cette œuvre ne se présente pas comme féministe et, pourtant, son objectif se situe dans la droite ligne de l'analyse féministe : soutenir les femmes victimes d'une organisation sociale qui avantage les hommes. Dans cette maison, toutes les femmes sont acceptées : on ne pose pas de questions ! Quel changement ! Si aujourd'hui, cette œuvre nous semble féministe, on aurait bien étonné Yvonne de Maisonneuve si on lui avait dit ça !

Les droits des travailleuses

À la même période, plusieurs femmes de la classe ouvrière sont mobilisées dans le groupe de la **Solidarité féminine**, sous l'influence du Parti communiste. On organise quelques actions spectaculaires : occuper de force des tramways, manifester à l'hôtel de ville, perturber des assemblées politiques. L'engagement pour les femmes rejoint maintenant toutes les classes sociales. En effet, les ouvrières, si réticentes à se mobiliser depuis le début de la révolution industrielle, réalisent que le syndicalisme est indispensable. Les associations professionnelles mises en place par la FNSJB en 1907 n'ont pas su s'adapter aux nouvelles conditions économiques créées par la Crise et surtout à l'apparition de véritables syndicats catholiques en 1921. Le nombre de membres des associations professionnelles de la Fédération, qui dépassait 800 au début des années 1920, a considérablement chuté après 1930. Il faut dire que ces associations n'acceptaient pas le recours à la grève.

Il n'est pas possible, dans ce récit consacré au mouvement féministe, de rapporter toutes les étapes de la syndicalisation des ouvrières.

Durant la crise économique des années 1930, apparaît à Montréal la Solidarité féminine, à l'instigation du Parti communiste. En 1937, les autorités municipales décident de diminuer considérablement le nombre de personnes ayant droit aux « secours directs ». À cette occasion, la Solidarité féminine prend d'assaut le bureau du Conseil de Ville de Montréal pour protester. Cette action fait la manchette de *La Patrie*.

Chose certaine, on retrouve, au sein des différents syndicats qui apparaissent à ce moment-là, des militantes exceptionnelles. Quand les 4000 ouvrières des usines de confection font la grève en 1934, et de nouveau en 1937, Léa Roback représente justement une de ces femmes qui dénoncent les injustices qui affectent les ouvrières parce qu'elles sont des femmes : prérogatives « sexuelles » des contremaîtres, absence de toilettes pour femmes, absence de congé de maternité, sans oublier l'inégalité des salaires et l'insalubrité des locaux. Elle aide parfois les jeunes ouvrières qui deviennent enceintes à avoir un avortement clandestin.

Les infirmières vont également se mobiliser pour tenter d'améliorer leurs conditions de travail. Des infirmières en grève ? Impossible. Le cardinal Villeneuve déclare en 1936 :

« Les infirmières n'ont pas le droit, en conscience, de faire passer des avantages matériels immédiats avant des obligations morales et spirituelles contre lesquelles rien ne prévaut. »

L'Église continue d'exercer un contrôle étroit sur tous les regroupements de femmes. Mais, comme le dit Léa Roback :

« On ne fait pas un syndicat avec des prières ! »

Les membres de la Ligue des droits de la femme et de l'Alliance canadienne pour le vote des femmes du Québec s'intéressent aussi à la situation des ouvrières. Elles dénoncent la législation, l'absence de femmes à la Commission du salaire minimum et exigent une enquête nationale sur la réalité du travail féminin tandis que plusieurs députés sont d'avis que les femmes au travail sont responsables de la crise économique. Quelle ironie ! Dans les faits, ce sont les femmes ordinaires, les ménagères qui permettent à la population de survivre durant la Crise.

Les féministes se scandalisent aussi de l'exploitation des institutrices qui ne gagnent souvent que 150 $ par année, parfois 80 $, ce qui correspond à un salaire de 2 $ à 5 $ par semaine, moins qu'une ouvrière ! Dans une conférence à la radio, Thérèse Casgrain s'exclame :

« Une femme de peine ne travaille pas pour cette pitance ! »

Assurément, ces prises de position sont peu efficaces pour faire changer la réalité quotidienne des femmes au travail. C'est ce qui rend encore plus importante à leurs yeux l'obtention du droit de vote.

C'est aussi l'opinion de Laure Gaudreault, une institutrice de la région de Charlevoix. Celle-ci affirme :

« Ces messieurs du gouvernement veulent, en ménageant le budget des municipalités, ménager la susceptibilité des électeurs. Quant à l'institutrice, qui n'a pas droit de suffrage, on n'en a cure ! »

Laure Gaudreault réussit à syndiquer les institutrices rurales en 1937, celles qui acceptent d'enseigner dans les écoles de rang où les conditions de travail sont les plus pénibles.

Après s'être fait tirer l'oreille durant de nombreuses années, le gouvernement vote la Loi des mères nécessiteuses en 1938. Loi bien tardive, et surtout bien limitée ! Elle soumet l'aide apportée aux mères à des considérations morales et religieuses. Des milliers de mères en sont exclues, notamment celles qu'on appelle alors les filles mères. Elles sont obligées de laisser leurs enfants dans les orphelinats, tout comme plusieurs familles pauvres doivent aussi se résigner à cette solution. Après dix ans de Crise, les orphelinats débordent !

Les actions pour promouvoir le droit de vote

Malgré ce climat de Crise si désespérant, les groupes féministes tentent par tous les moyens de faire la promotion du vote féminin. En 1929, Idola Saint-Jean publie une chronique dans *The Montreal Herald,* dans les deux langues. Elle démontre que dans les provinces où les femmes ont obtenu le droit de vote, leur situation s'est améliorée. La série lui attire un courrier phénoménal, majoritairement favorable à ses idées.

En 1930, à l'élection fédérale, deux femmes se présentent : Dr Grace Ritchie-England, pour le Parti libéral dans Mont-Royal et Idola Saint-Jean dans Dorion-Saint-Denis, comme indépendante. Elles ne sont pas élues mais font bonne figure, en dépit des critiques qu'elles suscitent. Idola Saint-Jean obtient 3000 votes ! Les candidates en profitent surtout pour publiciser leurs arguments en faveur du vote des femmes.

En 1931, la Société Saint-Jean-Baptiste consacre son défilé annuel du 24 juin aux femmes de l'histoire du Québec et un char du cortège rappelle les femmes qui avaient le droit de vote au début du xixe siècle. Aussitôt, Idola Saint-Jean offre de le commanditer au nom de l'Alliance canadienne pour le vote des femmes du Québec. Les responsables

Durant les années 1930, quelques militantes se font « femmes-sandwiches » et déambulent dans les rues avec des affiches de propagande en faveur du droit de vote des femmes. Sur les affiches en anglais, il est question de « justice » et d'« égalité », mais ces mots ne se retrouvent pas sur les affiches en français.

refusent sous prétexte qu'il ne faut pas que le défilé entraîne de controverse : l'antiféminisme n'est jamais loin parmi les élites nationalistes.

À partir de 1933, Idola Saint-Jean publie *La Sphère féminine*, un journal annuel où elle défend les objectifs de la lutte féministe. Les féministes font usage du nouveau médium qu'est la radio, et de 1933 à 1938, l'émission hebdomadaire *Fémina*, animée par Thérèse Casgrain et Florence Fernet-Martel, explique aux auditrices la signification du vote et les informe de toutes les injustices qu'elles vivent. L'émission suscite également un courrier abondant. Les féministes ont l'appui de quelques personnalités à l'esprit avancé. Dans *Le Monde ouvrier*, chaque semaine, un certain Julien Saint-Michel publie en première page un article qui soutient très souvent les revendications des féministes. Qui est Julien Saint-Michel ? C'est le pseudonyme d'une journaliste, Éva Circé-Côté. Sous ce pseudonyme masculin, elle peut se permettre de défendre des idées très audacieuses.

Les féministes multiplient les conférences, publient des articles dans les magazines comme *La Revue populaire* et *La Revue moderne* ; elles se promènent dans la rue en femmes-sandwiches, avec des slogans ; elles présentent au roi d'Angleterre Georges V, à l'occasion de son jubilé en 1935, une pétition de 10 000 signatures réclamant le droit de vote. En 1937, les militantes de la Ligue des droits de la femme installent une boîte de scrutin durant une exposition commerciale : les visiteurs sont invités à déposer un bulletin pour exprimer leur opinion sur le vote des femmes. Quand on révèle les résultats de ce sondage improvisé, on découvre que 8149 personnes sont favorables au suffrage féminin, et que seulement 249 personnes y sont opposées. Manifestement, les esprits changent, y compris dans les régions.

Une femme du Saguenay déclare durant les années 1930 :

« Je respecterais les idées de mon mari, ses convictions politiques, mais je ne m'interdirais pas absolument d'avoir les miennes. »

En 1937, le gouvernement fédéral établit une Commission royale d'enquête sur les problèmes constitutionnels. Plusieurs associations féministes se présentent pour exposer leurs idées, notamment la Ligue des droits de la femme. Sa porte-parole est Elizabeth Monk, diplômée en droit de l'Université McGill, mais qui n'a pas le droit d'être admise au Barreau. Elle présente un mémoire qui fait l'admiration des commissaires : un travail fort bien documenté qui démontre, tableaux et statistiques à l'appui, les conditions déplorables et discriminatoires des femmes du Québec. En voici quelques exemples : le salaire inférieur des ouvrières et des institutrices, les règlements de l'assurance-chômage qui excluent un grand nombre d'ouvrières, les chiffres alarmants de mortalité infantile, ou encore, l'exclusion des femmes de la pratique du droit.

À partir de 1935, le mouvement des cercles des fermières, qui avait perdu de son dynamisme après 1931 à cause de la crise économique, est de nouveau encouragé par les techniciennes en économie domestique du ministère de l'Agriculture. On distribue des rouets, des métiers à tisser. On organise des cours. Les femmes comprennent rapidement qu'elles peuvent améliorer leur niveau de vie en pratiquant l'artisanat. En 1935, le nombre de cercles atteint 273, avec 11 800 membres. Une nouvelle revue est destinée aux fermières, *Paysana*. La rédactrice en chef, Françoise Gaudet-Smet, ne les encourage certes pas à réclamer le droit de vote :

« Une femme au grand cœur sert mieux son pays en élevant ses enfants et en jouant son rôle d'inspiratrice et de créatrice d'énergie. »

Persuadée qu'elles exercent une « profession », elle réclame pour les femmes rurales de meilleures conditions de travail. En réalité, ses lectrices sont surtout attirées par les modèles de broderie, de tissage et de tricot proposés par la revue et par les expositions d'artisanat organisées à travers la province. Le nombre de cercles se met à augmenter rapidement. Au début de 1940, on en compte 718, avec plus de 40 000 « fermières ». C'est considérable, beaucoup plus que les associations féministes. En effet, la Ligue des droits de la femme ne peut compter que sur une cinquantaine de membres, et l'Alliance, sur quelque 200 militantes. L'antiféminisme a réussi à faire diminuer considérablement le nombre de militantes. **Si peu nombreuses, comment les féministes réussiront-elles à faire avancer la revendication du droit de vote ?**

12

La stratégie gagnante

Après une dizaine de pèlerinages inutiles à Québec, les féministes commencent à trouver que la farce a assez duré. Thérèse Casgrain croit qu'il faut modifier la stratégie pour obtenir le droit de vote. Or, elle est vice-présidente du **Club des femmes libérales**, un club politique qui existe depuis 1928. Elle convainc alors Adélard Godbout, le chef de l'opposition libérale à Québec, de faire inviter comme déléguées au congrès du Parti libéral de mai 1938 une quarantaine de membres des Femmes libérales. En échange, elle promet que ces dernières travailleront pour le parti aux élections suivantes. Au terme du congrès, les participantes ont réussi à faire inscrire le suffrage des femmes au programme du parti. Les 800 délégués ont voté unanimement en faveur de la proposition. Le vent vient-il de tourner?

Cependant, la conjoncture internationale vient de nouveau modifier la situation, comme cela avait déjà été le cas en 1914. Depuis 1933, en Allemagne, Hitler et le parti nazi ont entrepris une politique d'agression contre les pays voisins. L'Europe vit dans une atmosphère d'inquiétude. Y aura-t-il une autre guerre? Si tôt après la «Grande Guerre», celle de 1914-1918, qui devait être la dernière? Effectivement, Hitler envahit la Pologne en septembre 1939 et aussitôt plusieurs pays, dont le Canada, déclarent la guerre à l'Allemagne.

Dans la province de Québec, cette annonce provoque des réactions variées: un certain enthousiasme, puisque la guerre va créer des emplois et permettre à la population de sortir de la «dépression», mais aussi la crainte que le gouvernement fédéral n'impose de nouveau la conscription. C'est le moment que choisit Maurice Duplessis pour déclencher des élections: il espère que la crainte de la conscription incitera les électeurs à le reporter au pouvoir. Toutefois, avec l'appui du gouvernement fédéral, les libéraux sortent vainqueurs de l'élection. Le nouveau premier ministre Adélard Godbout tiendra-t-il la promesse du programme de son parti d'accorder le droit de vote aux femmes ? Il l'annonce dans le Discours du trône, ce qui entraîne une vive réaction des autorités religieuses.

Le cardinal Villeneuve, chef de l'Église québécoise, fait proclamer dans toutes les paroisses un avertissement solennel :

Nous ne sommes pas favorables au suffrage politique féminin.

parce qu'il va à l'encontre de l'unité et de la hiérarchie familiale ;

parce que son exercice expose la femme à toutes les passions et à toutes les aventures de l'électoralisme ;

parce que, en fait, il nous apparaît que la très grande majorité des femmes de la province ne le désire pas ;

parce que les réformes sociales, économiques, hygiéniques, etc. que l'on avance pour préconiser le droit de suffrage chez les femmes peuvent aussi bien être obtenues grâce à l'influence des organisations féminines, en marge de la politique.

Cette prise de position officielle est fort embarrassante pour le premier ministre Godbout. En habile politicien, il répond au cardinal qu'il est un homme de parole et qu'ayant promis le suffrage féminin, il fera adopter la loi. Mais, comme il ne souhaite pas désobéir au cardinal, il propose de démissionner et de se faire remplacer comme premier ministre par le député de Saint-Hyacinthe, le bouillant Télesphore-Damien Bouchard. Cet homme politique est un adversaire de l'Église, un anticlérical, la bête noire des évêques à cause de ses idées toutes plus radicales les unes que les autres.

Il semble bien qu'à choisir entre un premier ministre anticlérical et le vote des femmes, le cardinal ait jugé moins risqué de laisser passer le suffrage féminin. Et la loi est sanctionnée le 25 avril 1940. Les femmes ont enfin le droit de voter au Québec !

Les membres de la Ligue des droits de la femme se réunissent rapidement pour célébrer la victoire. Au cours de la réunion, Thérèse Casgrain, déclare :

« Notre véritable travail ne fait que commencer. Le vote est un moyen, et non pas une fin. »

THÉRÈSE CASGRAIN, ENTOURÉE DE MEMBRES DE LA LIGUE DES DROITS DE LA FEMME
En 1940, dès que les femmes du Québec obtiennent le droit de vote, les membres de
la Ligue des droits de la femme se réunissent pour célébrer la victoire. Au cours de la
réunion, Thérèse Casgrain déclare : «Notre véritable travail ne fait que commencer.
Le vote est un moyen, et non pas une fin.»

Il est bien évident que les femmes ne reviendront pas en arrière.
Les féministes ont gagné parce qu'elles n'ont pas lâché, et pourtant,
presque tout le monde était contre elles. Les livres d'histoire disent
que le Parti libéral a accordé le droit de vote aux femmes. Les livres
d'histoire se trompent. Les femmes ont obtenu le droit de vote parce
qu'elles l'ont réclamé avec persévérance durant plus de 40 ans.
Devenues enfin citoyennes, que feront les féministes ?

Les féministes exigent de voter

1913 : Fondation de la Montreal Suffrage Association

1918 : Les Canadiennes obtiennent le droit de vote au Parlement fédéral après 36 ans de luttes

1922 : Fondation du Comité provincial du suffrage féminin et manifestation à l'Assemblée législative de Québec

1922 : Marie Gérin-Lajoie participe au congrès de l'Union internationale des ligues féminines catholiques à Rome

1927 : Fondation de la Ligue des droits de la femme par Thérèse Casgrain

1927 : Fondation de l'Alliance canadienne pour le vote des femmes du Québec par Idola Saint-Jean

1929 : Commission Dorion sur la question des droits civils des femmes mariées

1940 : Victoire des Québécoises, qui obtiennent le droit de vote au Parlement provincial après 27 ans de luttes

Interlude

Nous sommes en 1940. Elles s'appellent Jeannine, Denise, Gisèle, Claudette, Monique, Madeleine, Lise, Pierrette, Louise. Elles ont 17 ans. La plupart n'ont jamais entendu parler des féministes ni des droits de la femme. Elles peuvent désormais étudier plus longtemps, même si dans leur famille, on préfère payer pour les études des garçons. Les parents ont coutume de leur dire :

« Tu n'as pas besoin de diplôme pour changer des couches. »

Il faut rappeler que l'instruction n'est pas encore gratuite, même au niveau primaire. À vrai dire, l'instruction n'est même pas encore obligatoire. Elle le deviendra en 1943 seulement. Pourtant, à l'école publique, plus de 8000 filles se retrouvent en 9e année (équivalent du Secondaire 3) et un peu plus de 1000 en 11e année (équivalent du Secondaire 5). Le croiriez-vous ? Les filles décrochent moins que les garçons.

Dans le réseau privé, les religieuses ont fondé près de 40 écoles normales, autant d'écoles ménagères, une soixantaine de pensionnats

Durant la Seconde Guerre mondiale, on s'habitue à voir les femmes remplir des fonctions nouvelles. Les jeunes femmes ont le sentiment que leur vie est désormais complètement changée. Et pourtant...

où on offre le cours Lettres-Sciences. On dénombre près de 9000 filles dans ces programmes privés, sans compter plus de 20 écoles d'infirmières et même une dizaine de collèges classiques, pour la plupart dirigés par des religieuses. De rares jeunes filles commencent à fréquenter l'université, le plus souvent dans des programmes professionnels : diététique, réhabilitation, technologie médicale, traduction, bibliothéconomie, service social, pédagogie familiale.

Pendant 20 ans, les féministes ont abandonné aux religieuses le soin de développer l'instruction des filles. Les religieuses ont rendu l'instruction des filles possible. Toutefois, elle est réservée à une minorité, car elle n'est pas gratuite. Le gouvernement refuse de subventionner les pensionnats, les écoles normales et les collèges des religieuses. Il ne subventionne que les écoles ménagères. L'augmentation du nombre de femmes instruites va certainement contribuer à changer leur situation. Pourtant, dans les familles, elles continuent d'être responsables des corvées domestiques. Elles sont encore les servantes de leurs frères.

Chez les jeunes filles, c'est presque devenu chic de travailler, même dans la bourgeoisie. On retrouve, bien sûr, les emplois féminins traditionnels : institutrice, infirmière, secrétaire, sans oublier ceux de vendeuse et d'ouvrière. Mais, selon la tradition, les femmes sont automatiquement congédiées après leur mariage et, pour tous ces emplois, les salaires demeurent ridiculement bas et inférieurs à ceux des hommes.

De plus en plus de jeunes filles sont membres d'associations regroupées autour de l'Action catholique, comme la JEC (Jeunesse étudiante catholique). L'Église offre même des cours de préparation au mariage. Car l'annonce d'une nouvelle guerre a suscité une ruée vers le mariage, poussant les jeunes à se marier pour éviter la conscription. Avec la reprise économique, les couples peuvent plus facilement se marier, même si les logements sont rarissimes. On vit en effet une crise du logement sans précédent.

Si les femmes peuvent voter, elles n'ont pas encore eu l'occasion d'exercer ce droit à Québec. Toutefois, leurs droits civils, eux, sont encore pratiquement inchangés. Malgré 40 ans de revendications féministes, les jeunes femmes ne sont pas davantage informées que leurs grand-mères de leur condition juridique inférieure. Malgré tout, l'optimisme est à l'ordre du jour. Quand la guerre sera finie... quelle belle vie on aura !

Troisième partie

Devenues citoyennes, les femmes tentent de prendre leur place

1940-1969

13

Durant la Deuxième Guerre mondiale

Avec la guerre, les préoccupations des féministes vont se transformer. La guerre vient améliorer la situation économique et accentuer l'élan vers la vie moderne. Surtout, en 1940, il faut participer à l'effort de guerre. Le nombre de femmes au travail se met à augmenter irrésistiblement : industries de l'armement, approvisionnement des armées, le besoin d'ouvrières est colossal. Le nombre de femmes au travail est multiplié par cinq entre 1941 et 1942. Cette situation favorise aussi la syndicalisation du monde ouvrier. Comme les conditions de travail sont déplorables, parce qu'on a « gelé » les salaires à cause de la guerre, les grèves sont nombreuses.

Les gouvernements ont besoin de la collaboration de toutes les femmes pour faire face aux exigences de la guerre. Des campagnes de publicité martèlent le message : « Ménagères, vous êtes en guerre ! »

On a besoin des femmes sur le front domestique d'abord, pour la récupération des matériaux utiles : vêtements, métaux, papier, os de viande et graisse de cuisson. « De la poêle à frire jusqu'à la ligne de feu », suggère une affiche invitant les ménagères à récupérer la graisse et les os. Les femmes découvrent avec surprise que ces produits servent à produire de la nitroglycérine, indispensable à la fabrication des bombes !

On a ensuite besoin des femmes dans les magasins, pour surveiller les prix à la consommation et dans les comités responsables de gérer les coupons de rationnement. En effet, la majorité des produits sont rationnés et chaque famille n'a droit qu'à de maigres quantités de beurre, de sucre, d'œufs, de viande, de café, de thé, etc.

On a besoin des femmes pour faire pousser fruits et légumes. On a besoin des femmes dans les centres de main-d'œuvre, pour s'assurer qu'aucune industrie ne manque de bras.

« DE LA POÊLE À FRIRE JUSQU'À LA LIGNE DE FEU » Durant la Seconde Guerre mondiale, les gouvernements ont absolument besoin de la collaboration de toutes les femmes pour faire face aux exigences de la guerre. Des publicités sont publiées dans les revues féminines pour les convaincre de participer à l'effort de guerre.

On a besoin des femmes à la Croix-Rouge pour la préparation des colis envoyés aux soldats et aux prisonniers, pour la confection des pansements et des vêtements chauds. Rien qu'à la Fédération nationale Saint-Jean-Baptiste, les femmes bénévoles ont fourni plus de 23 000 articles de tricot entre 1939 et 1945. Les membres des cercles de fermières en ont fabriqué tout autant.

On a besoin des femmes à la défense civile, pour prévenir toute attaque ennemie, car on a vu des sous-marins allemands dans le golfe du Saint-Laurent. Pour organiser cette armée de femmes bénévoles qui s'affairent dans tous les milieux, il faut des comités, des responsables. Quand vient le temps de trouver des personnes pour coordonner tous ces comités, on se tourne le plus souvent vers les présidentes des associations féminines et féministes ; elles sont pratiquement les seules à posséder l'expérience de la vie publique. On

« Mme Morin bombarde Berlin ! »
Le gouvernement demande aux ménagères de récupérer les gras de cuisson : ce produit contribue à la fabrication de la nitroglycérine qui entre dans la composition des explosifs.

s'habitue donc à voir des femmes assumer d'importantes responsabilités publiques.

Les femmes sont également mobilisées par les débats qui entourent la crise de la conscription. On assiste à nouveau à ce qui s'était produit au moment de la Grande Guerre en 1917. En effet, le premier ministre du Canada, Mackenzie King, avait promis de ne pas imposer la conscription, mais en 1942, il demande aux Canadiens de le libérer de sa promesse par une sorte de référendum, un « plébiscite ». C'est une nouvelle crise de la conscription. Simonne Monet-Chartrand, une jeune mère de famille, fait scandale en prenant la parole à une assemblée publique contre la conscription, même si elle est enceinte de plusieurs mois. Quant à Thérèse Casgrain, pour protester elle aussi contre la décision d'Ottawa, elle se lance en politique et se présente à une élection partielle en 1942 où elle arrive bonne deuxième.

Une importante réforme municipale se déroule à Montréal en 1940 : on a créé trois classes de conseillers municipaux et notamment la classe C, dont les membres sont nommés et non pas élus. Ces conseillers représentent les associations et les corps publics. Toutes les associations féministes font alors pression pour que des femmes soient nommées au conseil municipal afin de les représenter. Lucie Bruneau et Elizabeth Monk, deux militantes féministes, sont nommées à la classe C.

Vers la fin de la guerre, le gouvernement commence à prévoir ce qu'il faudra faire quand l'économie reprendra son cours normal et tente d'obtenir la collaboration des associations féminines pour cette opération délicate. C'est alors, en juin 1944, que la FNSJB prend l'initiative d'organiser un grand rassemblement de toutes les associations féminines et féministes. Trente-quatre associations sont présentes: les associations membres de la Fédération, bien sûr, la Ligue des droits de la femme, les comités féminins mis sur pied pendant la guerre, les syndicats féminins, les cercles de fermières et même les mouvements d'action catholique. Eva Thibodeau, la présidente de la FNSJB, affirme:

« Gouverner c'est prévoir ! »

Françoise Gaudet-Smet, responsable du service social rural, joue un grand rôle dans cette importante réunion, car elle souhaite qu'on s'intéresse enfin aux femmes de la campagne. À l'issue de la réunion, les déléguées font parvenir au premier ministre Godbout la liste de leurs revendications: formation professionnelle gratuite pour les femmes, égalité salariale avec les hommes, possibilité pour les femmes mariées de conserver leur emploi, congés de maternité, protection de la santé des travailleuses, électrification rurale, cliniques médicales ambulantes. Toutefois, ces femmes pensent que le service domestique serait la solution idéale pour absorber les travailleuses congédiées par la fermeture des usines de guerre. Malheureusement, ces revendications resteront sans écho, car deux mois plus tard, le Québec va changer de gouvernement et élire Maurice Duplessis. Et les demandes des femmes sont remises... sur les tablettes ! **Les femmes vont-elles s'intéresser à la politique ?**

14

Conflits politiques pour les femmes

Aux élections provinciales du mois d'août 1944, les Québécoises votent pour la première fois. Comme les sondages d'opinion n'existaient pas à cette époque, il n'est pas possible de savoir quel parti elles ont appuyé. On doit toutefois rappeler que c'est le Parti libéral qui avait fait adopter le droit de vote des femmes et qu'à l'élection de 1944, les libéraux ont obtenu davantage de votes que le parti de l'Union nationale de Maurice Duplessis. C'est le découpage de la carte électorale et la présence d'un tiers parti, le Bloc populaire, qui ont porté au pouvoir l'Union nationale. Il semble bien que le fait que les femmes aient voté n'ait produit aucun cataclysme, contrairement à ce qu'avaient laissé entendre naguère les opposants au suffrage féminin.

Les hommes politiques et les journalistes cessent donc de s'opposer au suffrage féminin. Et les évêques ? Ils n'ont pas dit leur dernier mot. Depuis le milieu des années 1930, les mouvements d'action catholique sont devenus très importants. Des associations catholiques rassemblent presque tous les groupes sociaux. On a mis en place des syndicats catholiques. Dans cet ensemble, seules quelques associations échappent au contrôle des évêques, entre autres, les cercles de fermières, qui dépendent du ministère de l'Agriculture.

En décembre 1945, les évêques envoient une directive incitant les cercles de fermières à quitter cette organisation et à rejoindre l'**Union catholique des fermières**. Cette association se veut le versant féminin de l'Union catholique des cultivateurs. Entre autres raisons, les autorités religieuses prétextent que le gouvernement risque de contrôler les opinions et les votes des femmes.

« Depuis que les femmes ont été gratifiées du droit de vote, explique un prêtre, le fait qu'elles soient organisées en Cercles dépendant de l'État comporte la possibilité qu'un gouvernement aux abois ou que des politiciens peu scrupuleux soient tentés de profiter de la situation pour influencer indûment leurs votes!»

Cette directive est reçue avec surprise par les femmes. Les membres des cercles des fermières se trouvent alors bien malgré elles au cœur d'une querelle politique qu'elles n'ont pas souhaitée. Quelques cercles suivent la directive. Il est malgré tout surprenant de constater que près de 30 000 femmes ont pris le risque de désobéir aux évêques en soutenant que les activités économiques ne concernent pas ces derniers! En effet, elles tenaient à l'encadrement professionnel des techniciennes visiteuses et au soutien financier du ministère de l'Agriculture. De toute évidence, leur participation à ce mouvement avait contribué à développer leur sens critique et leur conscience politique.

Pendant ce temps, les féministes se trouvent mobilisées par un combat particulier: celui des allocations familiales. En effet, le gouvernement du Canada a lancé ce programme de protection sociale et adresse aux mères de famille un chèque mensuel pour les aider à élever leurs enfants. Or, au Québec, les chèques doivent être adressés au père, à cause des lois civiles de la province: il ne peut pas y avoir deux «autorités» dans la famille. Plusieurs féministes s'opposent à cette décision et partent en campagne contre les «chèques adressés au père». Thérèse Casgrain et Florence Fernet-Martel sont à la tête de ce mouvement de protestation, soutenues par plusieurs femmes journalistes. Thérèse Casgrain, qui connaît tous les membres de la classe politique, rencontre le ministre de la Justice, Louis Saint-Laurent, mais ne réussit pas à le convaincre.

«Madame, puisque c'est comme ça que vous le prenez, faites une campagne pour ce que vous croyez être le mieux.»

Thérèse Casgrain est indignée.

«C'est ça. Vous le donnez aux femmes du reste du pays sur un plateau d'argent, et au Québec, il faut que nous fassions une lutte!»

Thérèse Casgrain dénonce hautement cette nouvelle injustice. Elle rappelle que la Loi des allocations familiales est fédérale et que, par conséquent, elle ne devrait pas être soumise au Code civil du Québec. On envoie des télégrammes à Ottawa. On en parle à la radio. Il fallait s'y attendre, les partis politiques du Québec, les autorités juridiques et religieuses ne veulent rien entendre: elles estiment qu'un chèque adressé aux mères pourrait briser la famille canadienne-française en supprimant la dépendance économique des épouses!

Finalement, les féministes trouvent un argument juridique : un article du Code civil affirme qu'une femme mariée possède un «mandat tacite de la gestion du quotidien familial». On considère donc qu'en vertu de cet article, les mères peuvent recevoir le chèque d'allocation familiale. Les féministes ont gain de cause. Les Québécoises reçoivent finalement leur premier chèque avec quelques semaines de retard, car les chèques ayant déjà été imprimés au nom des pères, il a fallu recommencer l'opération. Pour des milliers de femmes, ce chèque est le premier montant d'argent qu'elles reçoivent à leur nom, et elles le doivent aux féministes.

Le Bloc populaire propose de «boycotter» ces chèques, au nom de l'autonomie provinciale, de l'autorité paternelle et des intérêts des familles nombreuses. Les membres de la nouvelle Union catholique des fermières, notamment, sont invitées à retourner leur chèque. On se doute bien que ce mouvement de protestation n'a eu qu'un succès très limité.

Thérèse Casgrain a bien saisi le message de l'épisode des allocations familiales. Puisque les femmes du Québec sont à la merci du Code civil, en 1945, elle s'adresse au premier ministre Maurice Duplessis pour reprendre les revendications féministes concernant la situation juridique des femmes mariées. Il faut reprendre le débat lancé par Marie Gérin-Lajoie à la fin du XIXe siècle, et poursuivi lors de la Commission Dorion en 1929. En guise de réponse, le gouvernement forme une commission d'enquête, la Commission Méthot.

Aussitôt, les associations féministes se lancent dans l'action. Malheureusement, deux militantes de la première heure manquent à l'appel : Marie Gérin-Lajoie et Idola Saint-Jean sont décédées en 1945. Un comité conjoint réunit les responsables des principales associations féministes : la Ligue des droits de la femme, la FNSJB, l'Association pour l'avancement familial et social, le Montreal Local, la Civics League. Ce comité conjoint fait préparer un important mémoire. Il est dû à Elizabeth Monk et à Jacques Perreault, un avocat sympathisant de cette cause. Le mémoire est présenté à Québec et publié dans *Le Devoir*. On imprime un fascicule vendu à des milliers d'exemplaires. Le texte soutient que la situation économique et sociale des femmes a changé et qu'il est normal que le Code civil s'ajuste à cette nouvelle réalité.

Au Barreau, où depuis 1941 les femmes ont enfin l'autorisation de pratiquer le droit, quelques avocates se rassemblent en comité à partir de 1946. Elles tentent de faire accélérer le dossier. En 1947, dans la ville de Québec, la section de la Fédération dirigée par Thaïs Lacoste-Frémont, sœur de Marie Gérin-Lajoie, organise des cours et des conférences très populaires sur les droits civils des femmes. Les idées de Marie Gérin-Lajoie sont au cœur de ces débats. On se souvient que c'est pour cette cause qu'elle était devenue féministe à la fin du XIXe siècle. On étudie donc les articles de Marie Gérin-Lajoie, qui sont toujours d'actualité. Plusieurs membres des cercles de fermières et de la toute nouvelle **Association des femmes de carrière du Québec métropolitain**, fondée en 1947, participent à ces activités. À Montréal, Thérèse Casgrain prend l'initiative de rejoindre les mouvements d'action catholique où on met sur pied un comité féminin pour examiner la question des droits civils des épouses.

Les opposants sont nombreux. Un notaire de Sherbrooke, Albert Leblanc, estime que les demandes des femmes sont « une absurdité juridique ». Il proclame :

« Le Code civil est un monument incomparable de sagesse humaine et rédigé de manière presque parfaite ! »

Encore une fois, les féministes se frappent à un mur. Le commissaire Méthot recommande la création d'un comité, et la question est reportée à de nouvelles études. Tout au long des années 1950, les discussions vont tourner en rond. En 1956, on se décide enfin à abolir le fameux article du Code civil relatif au *double standard* concernant le motif d'adultère pour justifier la séparation. Il semble bien que ce n'est qu'une stratégie pour retarder la modification globale de la situation des femmes. On a prétendu, par cette modification, supprimer ce qui semblait plus archaïque dans le Code civil, et ainsi faire taire les critiques. **Une nouvelle question va-t-elle réussir à mobiliser les féministes ?**

Y a-t-il des féministes durant les années 1950 ?

À partir des années 1950, plusieurs femmes continuent de se préoccuper des intérêts des femmes, mais cessent, pendant une quinzaine d'années, de le faire au nom du féminisme. Nombreuses sont celles, et notamment les journalistes, qui proclament : « Les femmes se placent elles-mêmes dans une situation d'inégalité. »

À leur avis, les portes sont maintenant ouvertes pour les femmes, qui doivent se débarrasser de la mentalité de victimes et d'exploitées. La plupart estiment qu'il est préférable de travailler avec les hommes dans des associations mixtes, politiques, syndicales ou sociales, plutôt que dans les associations féminines ou féministes. Un groupe d'artistes signe en 1948 le manifeste révolutionnaire intitulé *Refus global,* et la moitié des signataires sont des femmes qui « ont pris leur place » dans le monde des arts.

La Fédération nationale Saint-Jean-Baptiste, qui n'a pas réussi à recruter de nouvelles membres, n'entreprend plus aucune initiative. L'Alliance canadienne pour le vote des femmes du Québec d'Idola Saint-Jean ne survit pas au décès de sa présidente fondatrice en 1945. Quant à la Ligue des droits de la femme, elle cesse pratiquement ses activités lorsque sa présidente, Thérèse Casgrain, se lance en politique. Celle-ci se présente neuf fois aux élections fédérales et provinciales pour un parti de gauche (CCF), entre 1942 et 1963, mais ne sera jamais élue ! Seul le Montreal Local reste actif après 1950 ; ses contacts avec la communauté francophone sont toutefois presque nuls. Ce groupe est d'ailleurs encore actif en 2008 !

En réalité, le nombre de femmes qui sont actives au sein d'associations est plus grand que jamais. Évidemment, selon l'esprit du temps, ce sont des associations mixtes ou des associations féminines dont l'objectif ne porte pas de manière directe sur la condition des femmes. Il est intéressant d'examiner la liste des associations des années 1950, pour se faire une petite idée de l'intense participation des femmes à la vie politique et sociale.

Les jeunes filles sont mobilisées dans les Guides catholiques, dans les groupements catholiques, soit la JEC (Jeunesse étudiante catholique), la JOC (Jeunesse ouvrière catholique), la JAC (Jeunesse agricole catholique), la JIC (Jeunesse indépendante catholique, qui rassemble celles et ceux qui travaillent dans les bureaux). Les plus âgées se retrouvent dans plusieurs associations : l'École des parents (1939), qui prend une expansion considérable après la guerre, la Ligue ouvrière catholique (1939), le Service de préparation au mariage (1944), l'Association des femmes de carrière du Québec métropolitain (1947), l'Association canadienne des consommateurs (1947), la Fédération des femmes libérales de la province de Québec (1948, niveau fédéral), la Fédération des femmes libérales (1950, niveau provincial), le Cercle des femmes journalistes (1951), les cercles d'économie domestique (1952), les foyers Notre-Dame (1954), Serena (Service de régulation des naissances, 1955), l'Association des femmes chefs d'entreprise (1956), l'Union catholique des femmes rurales (nouveau nom de l'Union catholique des fermières, 1958). Seules de rares associations ne sont pas encadrées par l'Église.

Parmi les associations féminines apparues durant la première moitié du XXe siècle, seuls les cercles de fermières restent actifs. (On a vu au chapitre précédent qu'ils ont résisté à une véritable offensive des évêques en 1945.) La Ligue féminine catholique, apparue en 1929, n'attire plus que des femmes plutôt âgées. Les prêtres ont vraiment perdu la bataille de la modestie féminine ! Les jeunes femmes veulent porter des pantalons, des shorts, des robes sans manches et des robes-soleil ! Enfin, la plupart des amicales d'anciennes, qui ne sont plus réunies en fédération depuis 1934, se transforment en cercles mondains qui organisent des parties de cartes et des activités de retrouvailles.

Deux nouvelles associations féministes

À vrai dire, deux associations seulement poursuivent des objectifs véritablement féministes. L'**Association des femmes universitaires**, fondée

en 1949 par Florence Fernet-Martel, vise à promouvoir les études supérieures pour les filles. Elle organise des réunions d'information et offre
une bourse d'études. La **Ligue des femmes du Québec**, fondée en 1957
par quelques femmes syndicalistes, s'intéresse aux conditions de travail
des ouvrières et présente des mémoires sur les droits civils des femmes.
Elle réclame le droit de vote pour toutes les femmes aux élections municipales. Toutefois, ces deux groupes ne comptent que quelques dizaines
de membres et ne sont pas vraiment connus.

Les femmes qu'on retrouve dans toutes ces associations sont majoritairement des femmes au foyer, mais il y a aussi quelques professionnelles : journalistes, travailleuses sociales, avocates, psychologues.
Il faut ajouter que l'apparition de la télévision en 1952 vient transformer complètement la vie des gens. Bien plus que la radio, la télévision permet aux idées nouvelles de faire leur chemin dans tous les
milieux. Et grande nouveauté, des femmes y prennent la parole et
sont autant de modèles nouveaux pour les jeunes filles. Par sa populaire émission *Toi et moi*, de 1954 à 1960, Janette Bertrand contribue
à sensibiliser les femmes aux problèmes des couples modernes. Elle
rédige aussi, dans *Le Petit Journal*, un courrier du cœur qui rejoint
les femmes des classes populaires.

Écoles ménagères ou collèges classiques

Chose certaine, on discute de « la » femme. Entre 1947 et 1953, un
véritable débat de société oppose les tenants de l'éducation traditionnelle pour les filles, celle qui se donne dans les écoles ménagères
qu'on surnomme les « écoles du bonheur », et les partisanes de l'instruction supérieure pour les filles. Les femmes sont nombreuses à
exposer leurs idées par des conférences, des articles dans les quotidiens et les revues. La première Québécoise titulaire d'un doctorat en
psychologie, Monique Béchard, se fait la championne du cours classique pour les filles. Elle dénonce l'absurdité des idées courantes sur
les « bas-bleus », surnom qu'on donne aux femmes qui poursuivent
des études, l'ineptie de diviser les disciplines selon les sexes, l'injustice de priver les filles d'une véritable formation intellectuelle. Elle
s'insurge contre le fait qu'on ne s'intéresse pas au sort des femmes
célibataires et qu'on voue toutes les femmes à la maternité.

À la fin des années 1950, comme les filles qui poursuivent des études supérieures et obtiennent un baccalauréat sont de plus en plus nombreuses, les autorités universitaires tentent d'imposer un programme de baccalauréat féminin différent de celui des garçons. Cette fois, ce sont les religieuses elles-mêmes qui protestent contre le fait que les collèges masculins sont subventionnés depuis 1922 alors que les collèges féminins ne reçoivent absolument rien. Elles souhaitent aussi que leurs étudiantes puissent pratiquer toutes les professions. Une religieuse déclare en 1958 :

« Nous n'avons pas à nous demander si la femme doit ou non travailler. Le travail féminin est un fait ; il est même un droit. »

Elle ajoute :

« Il y a une injustice à empêcher la femme d'exercer une profession, de ne lui permettre que les travaux qui exigent le moins d'étude, qui sont le moins rémunérés et qui commandent le moins d'influence. »

Du côté des travailleuses

Le travail, c'est vraiment la grande question depuis la fin de la guerre. Une travailleuse sociale, Gabrielle Carrière, publie *Comment gagner sa vie* en 1942 ; c'est un succès de librairie, et on le distribue aux finissantes des écoles et des pensionnats. Son message est clair : les femmes peuvent postuler à presque tous les emplois. Les pères ont tort de s'opposer au travail de leurs filles sous prétexte qu'elles se marieront. Le travail est un droit et assure le gagne-pain des célibataires, si nombreuses.

« Si l'on ne veut pas que les jeunes filles travaillent, il faudrait, pour être juste, obliger les hommes célibataires qui touchent un salaire à se marier ! »

Si les esprits changent, on n'approuve pas le travail des mères, surtout les mères de jeunes enfants. Pourtant, des milliers de femmes mariées et mères sont au travail, dans le milieu ouvrier et dans le milieu agricole. Il semble bien que cela ne préoccupe personne ! Plusieurs femmes ne disent pas à leur employeur qu'elles se marient afin de conserver leur emploi.

Après s'être longtemps opposée à la création de syndicats, l'Église a fini par les accepter. Elle a réussi à créer des syndicats catholiques, et ces derniers sont réunis depuis 1921 dans une grande centrale : la Confédération des travailleurs catholiques du Canada, la CTCC. Depuis sa fondation, la philosophie de cette centrale est très claire : les femmes doivent rester à la maison. Depuis leur apparition à la fin du XIXe siècle, les syndicats se sont toujours opposés au travail des femmes, surtout au travail des femmes mariées. Malgré tout, comme il y a de plus en plus de femmes qui travaillent, on met en place à la CTCC, en 1946, un Comité féminin qui s'intéresse aux aspects strictement féminins de la vie syndicale. Sa responsable, Jeanne Duval, devient la vice-présidente de la centrale. Dans une autre organisation syndicale, le Congrès du travail du Canada, Huguette Plamondon accède elle aussi à la vice-présidence de sa centrale. Dans les deux centrales, il est néanmoins très difficile de convaincre les femmes de participer à la vie syndicale, entièrement dominée par les hommes.

Quant aux instituteurs et institutrices, ils se sont syndiqués au début des années 1940, à l'exemple du syndicat d'institutrices rurales fondé par Laure Gaudreault en 1937. Quand tous les syndicats enseignants ont fusionné en 1946 dans la Corporation des instituteurs catholiques (CIC), les institutrices rurales se sont trouvées sous-représentées dans la nouvelle organisation, même si elles formaient plus de 70 % des membres. Leurs objectifs ont été éclipsés par ceux des instituteurs. Elles perdent même leur revue, *La Petite Feuille*. On continue de penser qu'il est inadmissible qu'une institutrice, fût-elle expérimentée et compétente, gagne plus qu'un jeune instituteur. Un instituteur qui se marie obtient une augmentation de salaire. L'institutrice, elle, est congédiée. On a certes élu Laure Gaudreault à la vice-présidence de la CIC, mais les institutrices n'en ont tiré aucun avantage. Ce n'est certes pas dans cette organisation syndicale qu'on respecte le principe « à travail égal, salaire égal » !

Des grèves mémorables éclatent dans de nombreux secteurs et quelques femmes syndicalistes y jouent un rôle central, notamment Léa Roback et Madeleine Parent. Il n'est malheureusement pas possible ici de s'attarder sur la participation des femmes à la vie syndicale et aux conflits ouvriers, cela exigerait de trop longs développements. On doit toutefois noter que la forme de syndicalisme qui est désormais proposée aux femmes est complètement différente du syndicalisme féminin que Marie Gérin-Lajoie avait imaginé pour les travailleuses au sein de la Fédération nationale Saint-Jean-Baptiste. On met maintenant l'accent sur les conditions de travail, les salaires. On accepte le recours à la grève, au lieu de se concentrer, comme au début du siècle, sur l'entraide et la formation personnelle.

Cependant, durant les années 1950, même si le nombre de femmes au travail augmente régulièrement, le discours dominant continue de valoriser exclusivement la femme au foyer. Ce discours traditionnel est d'ailleurs repris par l'ensemble des médias qui glorifient, à pleines pages dans les magazines et les publicités, la « reine du foyer ». Le rêve de toutes les jeunes filles à cette époque est de se marier, d'élever une famille et de posséder sa belle petite maison de banlieue. Comme les salaires féminins restent scandaleusement bas et les emplois peu valorisants, on comprend les jeunes femmes de souhaiter avant tout le mariage et la vie de famille.

C'est pourquoi les associations reliées à la famille sont si importantes durant les années 1950. C'est pourquoi aussi les femmes commencent à se préoccuper de contraception. Elles ne veulent plus avoir des douzaines d'enfants comme leur mère. À partir du milieu des années 1950, le taux de fécondité se met à baisser de manière régulière. Les femmes n'ont pas attendu la mort de Maurice Duplessis, en 1959, pour modifier leurs aspirations.

Le ras-le-bol des femmes engagées

En 1961, comme en 1931, la Société Saint-Jean-Baptiste de Montréal choisit pour thème du défilé de la Saint-Jean le 24 juin « Hommage à la femme canadienne-française », selon une vision plutôt traditionnelle des « mères de la nation ». *Le Devoir* publie à cette occasion un cahier spécial où des dizaines de personnalités féminines, surtout des journalistes, exposent les idées d'une nouvelle génération de femmes actives.

« Les femmes doivent démissionner ou accepter la lutte », soutient Renée Geoffroy.

« Être femme n'est pas une profession ou un statut social », affirme Adèle Lauzon.

« Il faut refuser catégoriquement de se laisser cantonner dans des occupations féminines », déclare Solange Chaput-Rolland.

« La jeune fille d'aujourd'hui constate que la liberté et l'égalité n'existent pas », laisse entendre Andréanne Lafond.

« C'est à la jeune fille d'aujourd'hui, plus lucide, moins romanesque qu'il appartiendra de rompre le cycle infernal », prédit Judith Jasmin.

« Combien de temps, demande Thérèse Casgrain, la femme attendra-t-elle pour jouer pleinement son rôle dans l'édification de la vie nationale ? Pour réclamer et occuper les postes de commande qui lui reviennent ? »

« Je me demande si les Canadiennes françaises sont si heureuses dans leur foyer qu'on le suppose », s'interroge Jeanne Sauvé.

Une sorte de ras-le-bol se dégage de tous ces textes. Un malaise qui n'a pas de nom. En même temps, une autre journaliste, Germaine Bernier, déclare :

« Le vent de la promotion humaine a déchiré la soie de la bannière des suffragettes d'hier. Le féminisme revendicateur doit être remplacé. »

On se trouve donc devant une sorte de message contradictoire qui s'adresse aux femmes : l'époque des revendications est terminée, mais la situation est loin d'être satisfaisante. **Le féminisme est-il en train de disparaître ?**

Les femmes
et « leur » révolution tranquille

A u début des années 1960, le Québec entre dans la modernité. On retrouve des femmes dans toutes les associations politiques, culturelles, sociales qui apparaissent à ce moment-là, tels l'Action de la jeunesse canadienne, le Mouvement laïque de langue française, le Rassemblement pour l'indépendance nationale (RIN), et tant d'autres. Ces militantes ne mettent nullement de l'avant leur réalité de femmes. En 1966, le comité féminin de la CTCC cesse ses activités. Le communiqué affirme :

« Tout comité strictement féminin ne travaillera qu'à convaincre la syndiquée qu'elle est "à part" dans le mouvement syndical. »

Mais les femmes n'ont pas oublié que, depuis 1940, elles sont vraiment des citoyennes. Elles tentent de le démontrer. Pendant que toute une série d'événements politiques et culturels se déroulent sur la scène québécoise, on doit constater que les femmes vivent, elles aussi, leur révolution tranquille. Voici un petit échantillon de la révolution tranquille des femmes.

Les droits des femmes mariées

La question de la condition juridique des femmes mariées est la plus urgente, elle préoccupe les féministes québécoises depuis la fin du XIXᵉ siècle. Florence Fernet-Martel, membre de la Fédération des femmes libérales, reprend la stratégie utilisée par Thérèse Casgrain en 1938 pour le droit de vote des femmes. En 1959, elle convainc les membres du Parti libéral d'inscrire dans leur programme la modification du Code civil. Quand le Parti libéral prend le pouvoir en 1960, on peut espérer que la loi va être changée. Pensez-vous ? Le dossier n'avance pas : les comités responsables de formuler la nouvelle loi tardent à produire leurs propositions.

« Est-ce qu'il va falloir que les femmes s'en mêlent ? » proteste une avocate.

La formation politique

À la Fédération des femmes libérales, les responsables souhaitent faire l'éducation politique de leurs 20 000 membres. Jusqu'alors, les militantes du parti étaient surtout impliquées dans les opérations de financement (banquets, etc.) et dans les relations sociales. Mariana Jodoin, une de ses présidentes les plus dynamiques, qui a d'ailleurs été nommée sénatrice à Ottawa en 1953, décide de faire de la Fédération une école de formation politique. Elle organise des colloques avec des invités prestigieux, des journées d'étude pour informer les membres des politiques du parti. Les femmes qui lui succèdent à la présidence planifient des conférences, mettent sur pied une Commission politique, organisent des ateliers de formation où les membres peuvent se familiariser avec les procédures parlementaires. Elles reprennent ainsi les activités mises en place par Marie Gérin-Lajoie de 1921 à 1927 pour la formation politique des femmes. Dans les différents comtés, les partisans libéraux doivent maintenant tenir compte de l'opinion des femmes.

La voix des femmes

Les femmes font la preuve qu'elles peuvent s'intéresser à la politique. En 1960, elles sont préoccupées par la menace nucléaire. On est en plein cœur de la guerre froide, et la politique mondiale fait craindre le pire : construction du Mur de Berlin en 1961, crise des missiles à Cuba en 1962. Une association pacifiste, **Voice of Women**, est créée à Toronto en juillet 1960 pour rassembler les femmes qui veulent s'opposer aux armes nucléaires. Des sections apparaissent partout au Canada. C'est Thérèse Casgrain qui établit la section québécoise, dès le début de 1961 : la **Voix des femmes**. Elle devient rapidement présidente canadienne. On fait pression pour que le Canada ne devienne

La section québécoise de la Voix des femmes est fondée en 1961 par Thérèse Casgrain. On reconnaît sur cette photo Thérèse Casgrain (2ᵉ à gauche) et Simonne Monet-Chartrand (2ᵉ à droite), qui discutent avec le Secrétaire d'État aux Affaires extérieures du Canada, Paul Martin, en 1965, au nom de la Voix des femmes. Elles demandent au gouvernement de prendre parti contre les armes nucléaires.

pas une puissance nucléaire. On retrouve autour de Thérèse Casgrain des femmes comme Mariana Jodoin, Ghislaine Laurendeau, Simonne Monet-Chartrand, Léa Roback, Solange Chaput-Rolland. Plus de 500 femmes deviennent membres de la Voix des femmes. Les actions de ce groupe pacifiste sont nombreuses : congrès nationaux, campagne de financement pour soutenir l'Institut canadien de recherches pour la paix, participation à des rencontres mondiales à Genève, à Vienne, piquetage à Washington, délégation à Ottawa dans le Train de la paix, organisation d'une rencontre internationale à Saint-Donat, où la journaliste Judith Jasmin fait une conférence remarquable, et même participation controversée à un congrès international à Moscou, de l'autre côté du rideau de fer. Les militantes de la Voix des femmes suivent de près les campagnes électorales fédérales de 1962 et 1963 et interpellent les candidats au sujet de leurs opinions concernant la menace nucléaire.

Les femmes du Québec se mobilisent pour la paix, découvrent la solidarité avec les femmes du globe. Une jeune femme, Lucile Durand, fait une proposition révolutionnaire dans la revue *Cité libre*: refuser de faire des enfants, «que, s'ils sont d'accord avec eux-mêmes, les gens honnêtes cessent de procréer jusqu'à l'obtention du désarmement total». Avec la Voix des femmes, les Québécoises démontrent qu'elles sont, en tant que femmes, profondément préoccupées par la politique internationale.

Une nouvelle presse féminine

En 1960, un nouveau magazine féminin apparaît: *Châtelaine*. Il se présente comme une voix décidément nouvelle pour s'adresser aux femmes. Sa rédactrice en chef, Fernande Saint-Martin, tient des propos au ton résolument «féministe». Chacun de ses éditoriaux est une invitation à la lucidité, voire à l'action. En 1962, elle invite les femmes à se rassembler pour faire entendre leurs demandes:

«Femmes, unissez-vous!»

Les lectrices de *Châtelaine* découvrent un nouveau message avant-gardiste, intercalé parmi les photos de mode, les recettes de cuisine et les conseils de maquillage. On y discute de gratuité scolaire, de contraception, des modifications au Code civil, de la vie professionnelle des femmes. Les lectrices sont nombreuses: plus de 100 000 dès la création du magazine.

Une femme députée

En décembre 1961, grande nouveauté, une femme est élue à l'Assemblée législative lors d'une élection partielle: Claire Kirkland. Elle sera même nommée ministre. Un vieux règlement parlementaire interdit aux femmes de se présenter à l'Assemblée législative sans chapeau. C'est la raison pour laquelle les féministes des années 1930 arboraient toujours leurs chapeaux quand elles se rendaient à leurs pèlerinages annuels à Québec pour entendre les discussions des parlementaires sur le suffrage féminin. On prétend obliger la nouvelle ministre à porter un chapeau durant les sessions. Claire Kirkland s'y oppose énergiquement : elle refuse de travailler avec un chapeau ! Un quotidien de Québec titre un article sur la nouvelle députée : « Une femme nu-tête à l'Assemblée législative ! » Elle obtiendra gain de cause. On peut enfin espérer que sa présence au Parlement permettra d'accélérer l'adoption de la loi afin de modifier le statut légal des femmes mariées. Cette proposition fait tout de même partie du programme du Parti libéral depuis 1958 !

Deux femmes à la Commission Parent

Dès le début des années 1960, le gouvernement québécois met en place une Commission d'enquête sur l'éducation, la Commission Parent. Deux femmes y sont nommées : sœur Laurent-de-Rome, religieuse de Sainte-Croix, professeure de philosophie dans un collège féminin, et Jeanne Lapointe, professeure de littérature à l'Université Laval. Ces deux femmes s'assureront que les nouvelles écoles seront accessibles à toutes les filles.

« Mon objectif, dit le commissaire Arthur Tremblay, est qu'aucun garçon du Québec ne soit empêché de poursuivre les études de son choix.

— Et aucune fille non plus, j'espère ! » d'objecter Jeanne Lapointe.

— Êtes-vous devenue féministe ? » demande alors un autre commissaire, Gérard Filion.

De toute évidence, l'accès des filles à tous les niveaux était considéré par les commissaires comme une proposition essentiellement féministe. De nombreuses associations féminines présentent des mémoires, en particulier l'**Association des femmes diplômées des universités** (nouveau nom des Femmes universitaires).

Un livre-choc ébranle les femmes au foyer

En 1963, la parution d'un ouvrage américain, *The Feminine Mystique* par Betty Friedan, fait grand bruit. On en parle dans *Châtelaine*, on en discute à la télévision et il est rapidement traduit en français. Ce livre met des mots et des analyses sur le malaise des femmes qui sont très nombreuses à se morfondre à la maison. Il devient aussitôt un best-seller. Les femmes découvrent qu'elles sont plus ou moins les victimes d'un système qui leur fait croire que leur univers ne doit pas dépasser le cercle de la famille et de la maison, que leur bonheur doit se réaliser dans celui de leur famille. «Est-ce que je suis allée au collège pour cela?» se demandent plusieurs femmes instruites, prisonnières de la routine domestique.

De nouveau, les droits civils des femmes mariées

En 1964, la ministre Claire Kirkland peut enfin présenter à l'Assemblée législative la loi 16, qui supprimera la subordination légale des épouses. Les féministes avaient placé cette question au cœur de leurs revendications dès le début du XXe siècle. Les féministes avaient présenté des mémoires devant deux commissions d'enquête, en 1929 et en 1946. La Fédération des femmes libérales a examiné la question. Des dizaines d'articles ont été écrits par les féministes. Enfin, les législateurs capitulent. **Cela fait alors plus de 60 ans que les féministes attendent!** Les épouses sont dorénavant égales à leur mari dans la famille. Elles peuvent désormais signer des contrats, choisir le domicile conjugal, exercer une profession différente de celle de leur mari (!), être exécutrices testamentaires, curatrices, tutrices. De même, elles ne sont plus obligées de demander la signature de leur mari pour tous les actes de la vie civile. Elles peuvent signer elles-mêmes un bail, faire un emprunt à la banque, par exemple.

Curieusement, loin de soulever l'enthousiasme, la loi 16 suscite des critiques nombreuses, surtout de la part des notaires et des praticiens du droit. Certains trouvent qu'on n'est pas allé assez loin. D'autres, au contraire, protestent contre cette entaille à l'autorité masculine dans la famille. Et dans la pratique, les directeurs de banque et de caisse populaire, les agents des services publics s'entêtent à réclamer encore la signature des maris. La loi est changée, et comme toujours, il reste beaucoup de chemin à faire pour changer les mentalités!

L'Expo 67

Dès 1965, la ville de Montréal est déjà à l'œuvre pour préparer la fameuse Exposition internationale de 1967: *Terre des hommes*. Les

Marie-Claire Kirkland est la première femme élue au Parlement de Québec en 1961. En 1962, elle est nommée ministre... sans portefeuille. On finira par lui confier les Transports (1964-1966), le Tourisme, la Chasse et la Pêche (1970-1972) et les Affaires culturelles (1972-1973). Parmi ses nombreuses responsabilités, elle va piloter la loi 16 qui met fin à la subordination des femmes mariées en 1964 ainsi que la loi qui crée le Conseil du statut de la femme en 1973. Sur cette photo prise en 1971, elle s'adresse à ces messieurs, à titre de ministre du Tourisme. On reconnaît à sa droite le maire de Montréal, Jean Drapeau.

femmes journalistes ont été invitées à une séance d'information sur cet important événement. Au lieu de manifester leur enthousiasme, les participantes protestent contre le caractère masculin du thème qui continue d'attribuer aux femmes un rôle traditionnel sur cette *Terre des hommes*. Une journaliste proteste :

« On semble avoir oublié de souligner ce phénomène important de notre monde moderne, l'évolution de la femme. »

Elles critiquent le rôle secondaire qu'on attend des femmes, négligeant l'immense potentiel féminin que les dirigeants de l'Expo ont à leur disposition. Pourquoi les femmes ne peuvent-elles être qu'« hôtesses » ?

De plus en plus de femmes réalisent que ce qu'elles ont à dire n'est pas vraiment entendu. Au bout du compte, de plus en plus de femmes se demandent : Est-ce que nous sommes vraiment égales ? Elles comprennent aussi qu'il est toujours nécessaire de s'organiser en tant que femmes, tout autant qu'au début du xxe siècle. **Le féminisme est-il mûr pour réapparaître ?**

17

La fondation de la Fédération des femmes du Québec et de l'AFÉAS

On retrouve encore une fois Thérèse Casgrain à l'origine d'un événement qui va permettre au féminisme organisé de revenir à l'ordre du jour. L'année 1965 marque le 25e anniversaire de l'acquisition du droit de vote pour les Québécoises. Thérèse Casgrain décide qu'il faut célébrer cet anniversaire par un colloque. Ce colloque veut rejoindre TOUTES les femmes, celles de la tradition comme celles de la modernité, celles de la ville comme celles des régions rurales. Les membres de toutes les associations féminines sont donc invitées.

On détermine le programme de ce colloque de deux jours intitulé *La femme du Québec. Hier et aujourd'hui.* Claire Kirkland, première députée québécoise, prononce la conférence d'ouverture. Mariana Jodoin, première sénatrice québécoise, est la présidente d'honneur. On a demandé à l'écrivaine Françoise Loranger d'écrire le texte d'invitation du programme, qu'elle intitule: « Réveille-toi, belle au bois dormant! Réveille-toi! »

Ce texte se révèle un appel à la liberté et à la solidarité des femmes, au droit de dénoncer les injustices et les humiliations. Les 500 participantes examinent des questions juridiques, économiques, sociales. Le colloque se termine par une assemblée plénière présidée par la journaliste Lise Payette, qui fait beaucoup jaser avec son émission de radio *Place aux femmes*. À l'unanimité, les participantes appuient une recommandation pour mettre en place une nouvelle organisation féministe. Les journalistes présentes assurent une couverture sans précédent à l'événement. Au lendemain du colloque, elles obtiennent la une des quotidiens. C'est du jamais vu: d'habitude, les nouvelles qui concernent les femmes sont refoulées à la « page féminine ».

« L'époque des récriminations est révolue. Ce sont les structures qui changeront », titre *Le Devoir*.

« Une nouvelle image de la Québécoise est en train de prendre forme », titre *La Presse*.

« Une nouvelle force de frappe ! » s'exclame Renaude Lapointe deux jours plus tard dans un éditorial de *La Presse*.

Les femmes ont discuté de divorce, de garderies, de congés de maternité, d'égalité salariale, d'accès à toutes les professions, de gratuité scolaire, d'instruction supérieure des filles, des conditions de travail des ouvrières, de contraception, de régime matrimonial. Fidèle à elle-même, Thérèse Casgrain réunit chez elle durant l'année qui suit un groupe de femmes de différents horizons qui préparent un document pour définir les cadres et le fonctionnement de cette Fédération qui rejoindra le plus grand nombre possible d'associations féminines ou féministes du Québec.

Ce document est présenté l'année suivante. De nouveau, les femmes journalistes sont à l'affût, des articles sont publiés chaque semaine. En juin 1966, c'est la naissance de la **Fédération des femmes du Québec (FFQ)**. La majorité des groupes féminins y adhèrent, quels que soient leur religion, leur langue, leurs objectifs. La FFQ n'a aucun

En 1966, est nommé le premier conseil d'administration de la Fédération des femmes du Québec. La première présidente est Réjane Laberge-Colas (à gauche, 2ᵉ rangée).

lien avec les autorités religieuses ou politiques. Elle se veut absolument non partisane, tout comme le Conseil national des femmes du Canada à la fin du XIXᵉ siècle. Elle veut représenter TOUTES les femmes.

« N'y aura-t-il pas une opposition entre les intérêts des "femmes à diplômes" et les "femmes à bébés"? demande un journaliste.

— Non, répond la première présidente, Réjane Colas. Quand nous nous intéresserons à une certaine classe, c'est que leurs problèmes auront une importance pour la population. »

La Fédération regroupe également des membres individuelles, qui se rassemblent dans des conseils régionaux. De cette manière, la FFQ est présente à Québec, à Montréal, à Sherbrooke, à Thetford-Mines et à Chicoutimi. Le leadership de la FFQ viendra d'ailleurs souvent de ces membres individuelles.

Il faut préciser ici que trois groupes importants décident de rester en dehors de la FFQ, même si leurs membres ont participé aux délibérations du colloque de 1965 et à l'assemblée de fondation de 1966. En effet, l'Union catholique des femmes rurales (1945) et les cercles d'économie domestique (1952) viennent de fusionner dans une nouvelle association, qui prend le nom d'**Association féminine d'éducation et d'action sociale**, mieux connue par son sigle, l'**AFÉAS**. Les responsables préfèrent consolider les bases de leur nouvelle association avant de solliciter une adhésion à la Fédération des femmes du Québec. Les prêtres qui supervisent les négociations tiennent à ce que l'association ait l'étiquette « catholique », mais les femmes tiennent à ce que leurs rapports avec l'Église soient libres :

« La couleur prédominante est celle des femmes, affirme Azilda Marchand, celle des membres de l'organisme. »

L'AFÉAS compte dès le départ 35 000 membres, principalement des mères de famille. À l'origine des négociations, elles avaient également invité les cercles de fermières. En effet, ces trois associations avaient des objectifs semblables. Rapidement, les cercles de fermières ont préféré se tenir à l'écart de cette fusion, car cette démarche aurait exigé qu'elles abandonnent leur nom et qu'elles se privent de fêter leur cinquantenaire. Elles ne sollicitent pas non plus leur adhésion à la Fédération des femmes du Québec : elles tiennent à leur indépendance, à leur fonctionnement autonome et se méfient de la neutralité religieuse.

En 1966, après trois ans de préparation, les responsables de l'Union catholique des femmes rurales et des cercles d'économie domestique fusionnent pour former une nouvelle association : l'Association féminine d'éducation et d'action sociale (AFÉAS). Parmi les fondatrices : Azilda Marchand, Germaine Gaudreault (présidente), Bibiane Laliberté, Mme D. Mayrand et Lorenza Bélanger.

À peine mis en place, les deux nouveaux regroupements, la FFQ et l'AFÉAS, sont à l'ouvrage. On organise des cours de formation politique, d'action sociale, des comités d'étude. À ce moment-là, peu de membres ou même de responsables s'identifient comme féministes, mais leurs visées se situent dans la foulée des objectifs des féministes des générations précédentes : il s'agit de permettre aux femmes de jouer un rôle actif dans la société. À l'AFÉAS, notamment, les membres s'activent à comprendre les transformations du système d'éducation, des services sociaux, des services de santé. Les femmes des régions éloignées deviennent très bien informées des différentes étapes de la Révolution tranquille, beaucoup plus que leurs maris.

Dans les nouvelles associations, on découvre rapidement l'art de présenter des mémoires, de donner des conférences de presse, de demander des subventions. Voilà toute une innovation ! Avant cette date, les militantes féministes avaient presque toujours travaillé bénévolement. Désormais, il sera possible de rémunérer quelques personnes. Les présidentes vont se succéder, les comités se multiplier, les responsabilités se partager. Le travail ne manque pas, mais l'étiquette *féministe* n'est guère utilisée, ni dans les textes ni dans les journaux qui rapportent les événements.

Par ailleurs, ces nouvelles pionnières sont souvent appuyées par les journalistes de la télévision, qui multiplient les occasions de débattre des questions à l'ordre du jour. Dès 1966, l'émission quotidienne *Femmes d'aujourd'hui*, à Radio-Canada, est produite sous la direction de Michelle Lasnier. Les idées nouvelles sont ainsi discutées régulièrement.

Cependant, d'autres journalistes sont beaucoup plus critiques à l'égard du mouvement féministe :

« Les associations féminines créent l'illusion que d'autres femmes vont régler le problème de chacune », affirme Solange Chalvin.

« Le féminisme et les mouvements de la femme sont nuisibles à l'émancipation de la femme », déclare pour sa part un syndicaliste en 1966.

Les militantes ont beau ne pas se dire féministes, les manifestations antiféministes à leur endroit ne se font jamais attendre bien longtemps. **Quelles seront les priorités de ces nouvelles militantes qui n'osent plus se qualifier de féministes ?**

18

La Commission Bird

La fondation de la FFQ et de l'AFÉAS est contemporaine de mouvements analogues dans le reste du Canada. Tout comme les femmes mobilisées par la Voix des femmes/Voice of Women, organisme pancanadien, se sont souvent rencontrées dans des actions collectives, les Québécoises retrouvent également leurs consœurs canadiennes à Ottawa, à la Chambre des communes, pour une question qui intéresse les femmes en priorité : celle de la contraception. En effet, le Code criminel canadien interdit toujours la contraception, même à la fin des années 1960, après l'apparition de la « pilule ». Il interdit également l'avortement. Les personnes qui veulent publiciser les méthodes de contraception doivent le faire en cachant leurs objectifs ; c'est pourquoi on parle plutôt de planification familiale ou de cliniques de stérilité. Des cliniques de contraception, nommées « cliniques de planning » sont pourtant ouvertes à Montréal, en toute illégalité. Plusieurs groupes font pression auprès du gouvernement pour modifier cette loi désuète, et des femmes de partout au Canada se rencontrent autour de cette cause.

La fondation de la Fédération des femmes du Québec en 1966 agit comme un stimulant auprès des militantes canadiennes, car elles viennent, de leur côté, de se rassembler au sein du **Comity for the Equality of Women in Canada**. Les deux associations décident alors de liguer leurs efforts pour réclamer auprès du gouvernement fédéral la création d'une commission d'enquête sur la situation des femmes. Depuis le début des années 1960, de telles enquêtes ont été conduites dans plusieurs pays. Pourquoi le Canada ne procéderait-il pas, lui aussi, à un examen approfondi de la question ?

Pour une fois, le lobby des femmes est efficace : à la fin de 1967, le gouvernement fédéral met en place la Commission royale d'enquête sur la situation de la femme au Canada. Parmi les commissaires, on retrouve un Québécois, le démographe Jacques Henripin, et une Québécoise, la professeure Jeanne Lapointe, qui avait siégé à la Commission Parent. Mieux connue sous le nom de sa présidente, Florence Bird, la Commission Bird est l'occasion pour tous les groupes de femmes de consulter leurs membres, de faire préparer des mémoires solidement documentés. Des audiences publiques ont lieu dans les principales villes du Canada, où se pressent des centaines de femmes. La Commission elle-même a commandé des études sur plusieurs questions. La secrétaire de cette commission est Monique Bégin, une des fondatrices de la FFQ.

C'est véritablement une prise de conscience colossale qui se produit à ce moment-là. Les femmes amérindiennes, notamment, prennent la parole : elles découvrent à quel point la Loi sur les Indiens en vigueur depuis le xixe siècle les prive de leurs droits ancestraux. Si elles épousent un Blanc, elles perdent leur statut d'Indienne. À Kahnawake, Mary Two-Axe Early, une Mohawk, fonde **Equal Rights for Native Women**, la première association de femmes autochtones au Canada.

Les magazines féminins multiplient les enquêtes. On constate avec stupéfaction que les Québécoises sont beaucoup plus revendicatrices que les autres Canadiennes, que leurs idées sont parfois plus radicales. La FFQ et l'AFÉAS concentrent leurs revendications dans le domaine de l'éducation : égalité dans tous les programmes pour les étudiantes, programmes spéciaux pour les femmes à la maison, cours de formation professionnelle. Si la FFQ vise surtout l'autonomie des femmes par l'activité professionnelle, à l'AFÉAS, on estime « qu'il n'est pas nécessaire de minimiser l'apport que la femme donne à l'humanité en demeurant à son foyer et l'inciter à en sortir pour n'importe quelle raison ».

L'Alliance des professeurs de Montréal présente aussi un mémoire qui dénonce les modèles féminins stéréotypés dans les manuels scolaires, qui incitent les étudiantes à la passivité et aux rôles traditionnels. C'est la première fois qu'un tel constat est exprimé publiquement.

La FFQ participe à la Commission Bird en organisant une importante enquête : *La participation des femmes québécoises à la vie civique.* Cette enquête a rejoint près de 900 femmes de tous les milieux et de toutes les régions, et recueilli les opinions de 35 personnes qui ont participé à des tables rondes. Elle constitue véritablement une première dans l'étude systématique des opinions des femmes concernant la vie publique. La présidente de la FFQ, Rita Cadieux, estime que les femmes doivent désormais s'occuper de politique. Elle déclare:

« Nous ne croyons pas que les femmes doivent servir dans les œuvres et les hommes dans le gouvernement. »

Les femmes mobilisées par la Commission Bird représentent une nouvelle génération de militantes. Elles sont sociologues, économistes, travailleuses sociales, avocates, psychologues. Ce sont elles qui ont entrepris le « véritable travail » qu'annonçait Thérèse Casgrain en mai 1940. Elles ont entre 35 et 50 ans.

Les plus jeunes ne se sentent guère interpellées. Plusieurs d'entre elles ont réussi à prendre leur place :

« Si moi je suis capable d'être journaliste, comme un homme, affirme Lysiane Gagnon, je ne vois pas pourquoi les autres ne pourraient pas faire la même chose. »

« Je souhaite d'abord un changement social global pour obtenir un changement des rapports hommes-femmes », nuance Louise Harel, alors étudiante en sociologie.

En effet, des milliers de jeunes femmes ont envahi les polyvalentes, les cégeps et les universités ; la gratuité scolaire jusqu'à la fin du collégial, le régime de prêts et bourses leur en ont ouvert les portes. Le Québec vient de procéder à une magistrale révolution dans l'éducation : gratuité, mixité, multiplication des programmes. Des milliers de jeunes femmes se trouvent facilement un emploi dans les secteurs en expansion de l'éducation, de la santé et de la fonction publique. Des milliers de jeunes femmes s'engagent dans les nouveaux mouvements de contestation sociale et politique qui apparaissent depuis le début des années 1960. Elles exigent des fumoirs dans les écoles normales et les collèges féminins encore dirigés par les religieuses. Expo 67 leur a ouvert le monde ! Elles suivent avec passion les péripéties de la contestation politique qui explose aux États-Unis, en France, en Allemagne, en Tchécoslovaquie et ailleurs. Des milliers de jeunes femmes expérimentent les rapports amoureux dans un nouveau climat de liberté sexuelle : la « pilule » permet l'expression de ce qu'on a nommé la « révolution sexuelle ». Des milliers de jeunes femmes se sentent, comme leurs confrères, irrésistiblement libres : libres de voyager, libres de ne plus aller à la messe, libres de fumer un « joint », libres d'écouter leur musique, libres de porter des mini-jupes ! Libres ! Libres ! Libres ! **Ces jeunes femmes vont-elles apporter de nouvelles revendications ?**

Devenues citoyennes, les femmes tentent de prendre leur place

1945 : Lutte pour que les allocations familiales soient adressées aux mères de famille

1946 : Reprise de la lutte pour modifier les droits civils des femmes mariées

1948 : Débat autour de l'enseignement ménager et de l'enseignement supérieur pour les filles

1950 : Création des Femmes universitaires par Florence Fernet-Martel

1961 : Fondation de la Voix des femmes, avec Thérèse Casgrain

1965 : Colloque à l'occasion du 25e anniversaire du droit de vote des Québécoises

1966 : Fondation de la Fédération des femmes du Québec

1966 : Fondation de l'AFÉAS

1967 : Commission royale d'enquête sur la situation de la femme au Canada (Commission Bird)

Quatrième partie

La grande ébullition féministe

1969-1980

19

L'émergence d'un nouveau féminisme

Les jeunes femmes des années 1970 sont-elles intéressées et mobilisées par la fondation de la Fédération des femmes du Québec? Par les audiences publiques de la Commission Bird? Pas le moins du monde. Tout cela est bon pour leurs mères ou pour leurs tantes. Elles ont d'autres causes à défendre. Elles sont interpellées par les nouvelles analyses nationales, sociales, syndicales.

« Le féminisme? Vous voulez dire les histoires de suffragettes? Ah! Non, c'est fini tout ça, personne n'en parle. Ce qui compte parmi les francophones, c'est la question nationale, les problèmes sociaux. Les femmes sont sur un pied d'égalité. Le féminisme? Mais pourquoi le féminisme?» affirme Lysiane Gagnon en 1968, et sans doute bien d'autres avec elle.

Les jeunes femmes assistent aux assemblées du Rassemblement pour l'indépendance nationale (RIN) de Pierre Bourgault. Elles vont écouter les poètes à la *Nuit de la poésie*. Elles participent aux occupations des universités, des cégeps. Elles adhèrent aux syndicats et participent aux manifestations politiques dans l'atmosphère surchauffée par les explosions des bombes du FLQ[1].

Elles se pressent dans les boîtes à chanson, elles assistent à *l'Osti-dcho*[2] en 1968. Très nationalistes, elles vont manifester contre les lois linguistiques à Québec et contre la présence du premier ministre canadien Pierre Elliott-Trudeau à la tribune d'honneur au défilé de la Saint-Jean-Baptiste en 1969, elles participent à la grande manifestation « McGill français » en 1969. Elles tentent de prendre leur place dans

---

1. À partir de 1963, plusieurs cellules du Front de libération du Québec (FLQ) font éclater des bombes sur diverses cibles fédérales.
2. Spectacle mythique qui a lancé Robert Charlebois, Yvon Deschamps et Louise Forestier.

les syndicats. Elles se retrouvent dans les comités de citoyens des quartiers populaires, dans les groupes de défense des droits sociaux, dans ce qu'on commence à appeler «les groupes de gauche». Elles font des voyages en Californie. Elles vibrent à l'unisson avec les «groupes de libération» de toute la planète, avec la contestation étudiante. Plusieurs vivent dans des «communes» à la campagne. Quelques-unes observent avec intérêt l'apparition du **Women's Lib** aux États-Unis. Certaines sont d'ailleurs approchées par un groupe d'étudiantes de McGill pour créer un Women's Lib à Montréal.

À l'automne de 1969, la tension est si grande à Montréal, les manifestations syndicales, nationales et politiques si nombreuses et si violentes que le maire Jean Drapeau fait voter un nouveau règlement qui interdit les manifestations publiques, y compris le défilé du Père Noël! Or, à chaque événement, la police arrête surtout les manifestants, jamais les manifestantes. C'est alors qu'un groupe de femmes syndicalistes et d'étudiantes décident d'organiser une manifestation contre «le règlement anti-manifestation». De cette manière, les policiers vont bien être obligés de prendre en compte l'action politique des femmes! En 48 heures, elles réussissent à mobiliser plus de 250 femmes qui se rassemblent au Monument national le 29 novembre 1969. C'est justement à ce même endroit qu'en 1907 les féministes avaient lancé la Fédération nationale Saint-Jean-Baptiste. Curieuse coïncidence! Mais cette fois, c'est une action absolument différente, c'est un geste de contestation politique. À peine sont-elles sorties dans la rue qu'elles sont toutes systématiquement arrêtées et embarquées dans le panier à salade. Quelques-unes se sont enchaînées comme les suffragettes de Londres au début du xxᵉ siècle. Les policiers doivent couper leurs chaînes pour pouvoir les emmener. Elles sont conduites à la prison, fichées, photographiées et libérées contre un cautionnement.

« Le Front commun des Québécoises descend dans la rue », titrent les journaux le lendemain.

Quinze jours après cet événement, un groupe de ces jeunes femmes se réunit pour discuter. Elles ont expérimenté la force de leur action. Pourquoi n'agiraient-elles pas pour la libération des femmes ? Certes, elles militent pour changer la société dans de nombreux organismes, mais on n'écoute guère ce qu'elles ont à dire. Plusieurs sont en colère :

« Juste le fait de dire qu'il existe une oppression des femmes, tout le monde rit de toi.

— Ou bien on dit que tu as un complexe d'infériorité, ou que tu es lesbienne, ou que tu es mal baisée.

— J'ai vécu une grande frustration à l'université et dans le mouvement étudiant : je me suis aperçue que même dans les organisations étudiantes progressistes, les hommes et les femmes n'étaient pas sur un pied d'égalité. Il y avait une discrimination réelle envers les femmes qui occupaient souvent des postes subalternes : dactylo, secrétariat, qui avaient du mal à se faire écouter.

— Au comité ouvrier de Saint-Henri, on a proposé aux femmes de danser comme gogo-girls, pour financer le comité ! »

C'est décidé, elles formeront un groupe autonome, réservé aux femmes. Il faut faire du bruit ! Elles seront le **Front de libération des femmes du Québec**, le **FLFQ**. Leur inspiration vient directement du Women's Lib américain : elles veulent dénoncer l'oppression des femmes. Elles sont indépendantistes, tiers-mondistes, anti-capitalistes. Elles veulent défendre les femmes de la classe ouvrière. Elles veulent « mettre le féminisme sur la mappe » ! Leur slogan : « Pas de libération des femmes sans libération du Québec. Pas de libération du Québec sans libération des femmes ».

Elles refusent de croire qu'il faut d'abord faire l'indépendance du Québec ou « renverser le capitalisme », comme on dit dans les groupes de gauche, avant de s'intéresser aux problèmes des femmes. Elles ne parlent plus de la condition des femmes, mais de l'oppression des femmes : la nuance est de taille. Leur approche est révolutionnaire, **radicale** parce qu'elles veulent aller à la **racine** de cette oppression : la société patriarcale. Leur féminisme est antipatriarcal et anticapitaliste. Elles ne veulent pas réformer la société : elles veulent la transformer et elles affirment : « Le privé est politique ! » Les rapports dans la vie privée sont à l'image de l'infériorité des femmes dans la vie publique. Pourquoi les femmes ont-elles l'entière responsabilité du travail domestique ? Pourquoi ce travail est-il gratuit ? Pourquoi les femmes ont-elles la responsabilité de la famille ?

Le FLF durera un peu plus de deux ans, et sera immédiatement suivi du **Centre des femmes**, en 1972, qui lui-même donnera naissance à plusieurs nouveaux groupes après 1975. Ainsi, pendant plus de dix ans, un féminisme qui se dit radical, les « groupes autonomes de femmes », comme ils se désignent eux-mêmes (car ces militantes ne tolèrent pas que les hommes participent à leurs actions), va bouleverser la scène québécoise. Grande nouveauté : ces féministes ont moins de 30 ans.

Leur fonctionnement ne ressemble pas du tout à celui des associations traditionnelles de femmes. Pas de procès-verbaux, pas de congrès, pas de présidente, pas d'incorporation civile, pas d'assemblée générale. Elles rejettent les structures habituelles des organisations. Souvent, elles tiennent à rester anonymes. Pour elles, il n'est pas question de faire comme les « féministes réformistes », comme elles nomment les militantes de la FFQ, qui, disent-elles, ne souhaitent que s'insérer dans le système. Elles, au contraire, veulent changer le système ! Elles prennent les décisions en « collectif » : tout le monde a son mot à dire et elles refusent l'autorité. Aussi, que de discussions passionnées pour préciser l'orientation et l'analyse ! Certes, la vie de ces groupes est brève, pourtant, dans ce court laps de temps, ils réussissent à bouleverser toute la société québécoise.

« Les féministes sont folles ! » pensent plusieurs femmes, y compris Thérèse Casgrain elle-même.

À partir de 1970, le féminisme québécois se diversifie en plusieurs courants. C'est pourquoi cette quatrième partie, bien que racontant une période très brève, un peu plus de dix ans, est la plus longue de ce récit. Les cinq chapitres suivants racontent une foison d'événements simultanés, entre 1970 et 1975. Mais, tout d'abord, il faut se demander : **Quelles seront les actions-chocs de ces nouvelles féministes radicales ?**

Les actions-chocs des féministes radicales

Au Front de libération des femmes, les militantes forment des «cellules» qui auront chacune un objectif. Les membres sont unies entre elles par de chaleureux liens d'affection: elles s'embrassent quand elles se rencontrent, ce qui est complètement nouveau à ce moment-là. On les accuse d'être lesbiennes, pourtant elles ne le sont pas. Elles sortent entre filles et découvrent avec satisfaction tout ce qu'elles peuvent faire: organisation, rédaction, orientation, théorie, toutes ces activités qui étaient réservées aux hommes dans les groupes mixtes. Elles suivent des cours de karaté. Elles contestent les images de la féminité en portant des bottes de travailleurs, en interpellant les hommes dans la rue. Elles ne se maquillent pas et, **qu'on se le dise, elles ne brûlent pas leur soutien-gorge**[1], même si le plus souvent, elles le laissent dans le tiroir. Leurs actions font du bruit, mais leur mouvement se trouve intégré dans le climat d'intense contestation sociale et politique des années 1970.

Une des grandes questions qui rassemble les femmes est celle de l'avortement. À la suite des pressions de plusieurs associations, le gouvernement fédéral a décriminalisé la contraception et l'avortement le 14 mai 1969 et autorisé les avortements thérapeutiques. On fait paraître, en février 1970, *Pour un contrôle des naissances,* la traduction française du *Birth Control Handbook* publié par le Conseil étudiant de McGill en 1968. On en tire 50 000 exemplaires, qui s'envolent

---

1. L'image fétiche des «féministes radicales qui ont brûlé leur soutien-gorge» revient périodiquement depuis cette époque. Et pourtant, comme la recherche l'a démontré, l'événement n'a pas eu lieu. Ce sont les médias qui ont imposé l'expression «brûler leur soutien-gorge».

aussitôt. Il faut une réimpression. Comme la brochure est favorable à l'avortement, la question surgit : où peut-on en obtenir ? Le FLF crée donc une cellule Avortement, pour assurer le service de référence mis sur pied par les auteurs de la brochure, en collaboration avec les militantes du Women's Lib de McGill. Elles veulent aider les femmes (les étudiantes, les femmes pauvres, les femmes des régions) qui ne sont pas en mesure d'obtenir un avortement thérapeutique. Le coût est de 250 $, mais aucune ne sera refusée pour des raisons financières. Elles ont l'appui de médecins, notamment le Dr Henry Morgentaler, qui financent le service et effectuent les avortements.

Au FLF, il y aussi une cellule X, qui organise des actions-chocs. Le jour de la fête des Mères, en 1970, elles manifestent au parc Lafontaine pour dénoncer cette fête et réclamer le droit à l'avortement.

« Reine un jour, esclave 365 jours ! »

Ce slogan choque la population. Elles refusent aussi de participer à la « caravane sur l'avortement » organisée par les militantes canadiennes :

« Nous refusons d'aller manifester devant un parlement dont nous ne reconnaissons pas les pouvoirs qu'il s'arroge sur le Québec. »

Au printemps 1970, on est en pleine campagne électorale. Elles participent aux assemblées électorales avec des pancartes « Mariage = prostitution légalisée », ce qui est une manière plutôt audacieuse d'affirmer que « le privé est politique ».

Elles publient le texte « Nous nous définissons comme les esclaves des esclaves » et elles réclament un salaire pour le travail ménager, qui n'a jamais été considéré comme un véritable travail.

À l'automne 1970, le FLQ procède à des enlèvements politiques, ce qui incite le gouvernement fédéral à proclamer les « mesures de guerre » et à procéder à plusieurs centaines d'arrestations arbitraires : c'est la fameuse crise d'Octobre. Si elle ralentit les activités du FLF, le procès des felquistes[2], au début de 1971, leur fournit toutefois l'occasion d'une véritable action d'éclat. Lise Balcer a été convoquée comme témoin à ce procès. Elle fera plutôt un plaidoyer féministe en refusant de témoigner parce que les femmes n'ont pas le droit d'être

---

2. On appelle « felquistes » les membres des cellules du FLQ. Ceux qui ont enlevé et « exécuté » Pierre Laporte subissent un procès au début de 1971.

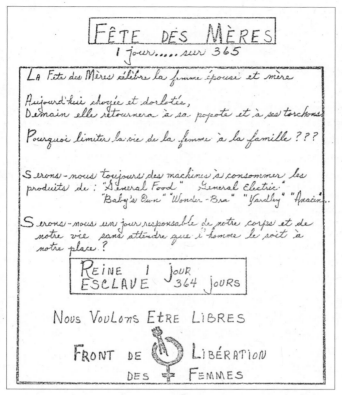

FÊTE DES MÈRES
1 jour..... sur 365

La Fête des Mères célèbre la femme épouse et mère

Aujourd'hui choyée et dorlotée,
Demain elle retournera à sa popote et à ses torchons

Pourquoi limiter la vie de la femme à la famille ? ? ?

Serons-nous toujours des machines à consommer les
produits de : "General Food" "General Electric"
"Baby's Own" "Wonder-Bra" "Yardley" "Axacin"..

Serons-nous un jour responsable de notre corps et de
notre vie sans attendre que l'homme le soit à
notre place ?

REINE 1 JOUR
ESCLAVE 364 JOURS

NOUS VOULONS ETRE LIBRES

FRONT DE LIBÉRATION DES FEMMES

Le Front de libération des femmes du Québec (FLF), créé à la fin de 1969, est un groupe qui multiplie les actions-chocs. En quelques mois, il a complètement transformé le paysage féministe, sans aucun soutien financier. Le 10 mai 1970, jour de la fête des Mères, il organise une manifestation au parc Lafontaine en faveur de l'avortement libre et gratuit. Voici une des affiches artisanales brandies à cette occasion.

jurées au Québec. Le juge l'accuse aussitôt d'outrage au tribunal : elle devra, elle aussi, subir un procès.

Informées de cet événement, les membres de la cellule X sont scandalisées. L'une d'elles s'étonne :

« Hein ? Les femmes n'ont pas le droit d'être jurées au Québec ? »

Elles décident alors de se rendre au procès de Lise Balcer et de « faire une action ». Avec tous les journalistes qui suivent le procès des felquistes, elles vont enfin « mettre le féminisme sur la mappe » ! Elles envahissent le box des jurés en criant :

« Discrimination !

— La justice, c'est d'la marde ! »

Elles sont accusées d'outrage au tribunal et sont condamnées sur-le-champ, sans procès, à un mois de prison. Deux d'entre elles ajoutent :

« On nous viole encore ! »

Elles voient leur sentence doublée. Toutes sont directement conduites à la prison Tanguay. Une fois en prison, les membres du FLF se préoccupent des droits des prisonnières.

Action inutile ? Dès le mois de juillet suivant, la loi est amendée pour permettre aux femmes d'être jurées. Cela faisait pourtant trois ans que la FFQ le réclamait. Tiens, tiens !

Cet épisode traumatisant est suivi de nouvelles actions. Le 8 mars 1971, le FLF organise la toute première manifestation qui souligne la Journée internationale des femmes. Cette fête avait été instituée par l'Internationale socialiste féministe en 1910 et n'avait jamais été fêtée au Québec. Une marche en faveur de l'avortement libre et gratuit est organisée, suivie d'un colloque. Succès incroyable ! Cette action reçoit une couverture de presse exceptionnelle et suscite l'adhésion de nouvelles membres.

En mai 1971, la cellule « Lépatatcol » (à lire à voix haute !) entre avec fracas, sans payer, au Salon de la femme, pour dénoncer les pièges de la féminité qui transforment la femme en objet : « Votre culture de salon, on n'en veut pas ! »

Elles espèrent se faire arrêter, mais on les laisse manifester leur colère. Action inutile ? Dès l'année suivante, on va trouver dans les « salons de la femme » des kiosques sur la santé des femmes, sur les droits des femmes, sur les services qui aident les femmes. Tiens, tiens !

Des membres du FLF occupent ensuite des tavernes à Longueuil pour protester contre ces lieux interdits aux femmes. Cet événement est fortement médiatisé. Action inutile ? Quelque temps plus tard, les tavernes vont se transformer en brasseries, avec une petite affiche près de la porte : « Bienvenue aux dames ». Tiens, tiens !

Une autre cellule décide d'implanter une garderie populaire en 1971, la toute première garderie dirigée par des femmes. Parallèlement, une autre cellule publie un journal : le premier numéro de *Québécoises deboutte!* est lancé en novembre 1971. Enfin, des textes d'ici, sur les analyses issues du féminisme révolutionnaire qui est apparu un peu partout dans le monde occidental!

Juste auparavant, deux militantes proches du FLQ publient *Le Manifeste des femmes québécoises*. Ce livre fait écho au *Manifeste du FLQ*, publié durant la crise d'Octobre, qui avait complètement laissé de côté la question des femmes. Ce texte n'émane pas du FLF : il met surtout en lumière les problèmes des femmes de la classe ouvrière.

Tout cela a nécessité beaucoup d'énergie. Les militantes qui ont été emprisonnées se sentent en désaccord avec les autres : quelques-unes d'entre elles souhaitent se rapprocher des femmes ordinaires, car elles sentent que le féminisme-choc les effraie. Incapable de résoudre ses difficultés, le FLF se saborde en décembre 1971. Deux membres du collectif poursuivent leur action en créant le Centre des femmes dès le mois de janvier 1972. Ça continue!

De tous les projets du FLF, le Centre des femmes conserve en priorité celui du service de référence pour les avortements. Après l'arrestation du Dr Morgentaler, elles organisent des voyages en autobus à New York pour des femmes qui souhaitent obtenir un avortement. Elles obtiennent du financement en présentant des projets dans le cadre du Programme d'initiatives locales, lancé par le gouvernement fédéral. Par ailleurs, elles s'associent, en 1972, à la publication d'un ouvrage sur le viol : *Le viol, le crime violent le plus répandu au Québec*. C'est la traduction d'un ouvrage américain de Susan Griffin, paru en 1971. Cette publication entraîne une prise de conscience dans les « groupes autonomes de femmes », qui apparaissent un peu partout.

Le tabou de la violence contre les femmes commence à se dissiper. À Québec, en 1975, des militantes mettent en place **Viol-Secours**, un centre où les victimes peuvent obtenir soins, secours, information et soutien juridique. À Montréal, c'est le **Mouvement contre le viol et l'inceste** qui ouvre un centre d'aide semblable quelques mois plus tard. Bientôt, divers centres similaires vont s'implanter à travers le Québec. La violence sexuelle contre les femmes est une autre question que les féministes radicales veulent dénoncer en priorité.

Mais le principal objectif du Centre des femmes demeure la publication de *Québécoises deboutte!* Les deux « fondatrices » sont rapidement secondées par de nouvelles militantes qui viennent des groupes

pas de libération des
femmes sans libération
du québec

pas de libération du
québec sans libération
des fe.nmes

QUEBECOISES
DEBOUTTE !

publié par le centre des femmes
vol. 1, no. 1 - novembre 1972

Le Centre des femmes prend la relève du FLF en 1972. Une de ses principales réalisations sera de poursuivre la publication de ce journal des féministes radicales, lancé en novembre 1971. *Québécoises deboutte* paraîtra jusqu'en mars 1973.

d'extrême-gauche qui se multiplient à ce moment-là à Montréal. Cette présence va leur causer bien des cauchemars. D'abord, des discussions interminables sur l'orientation du groupe : en effet, elles sont soupçonnées par l'extrême-gauche de ne pas être fidèles à l'esprit révolutionnaire des marxistes-léninistes et sont exclues ! Cela ne les empêche pas d'être perquisitionnées deux fois par la Gendarmerie royale, qui leur confisque leurs listes d'abonnées et leur documentation à cause de leurs liens avec l'extrême-gauche.

Malgré tout, la belle aventure de *Québécoises deboutte !* se poursuit. Neuf numéros sont publiés entre novembre 1972 et mars 1974. La revue répond vraiment à un besoin : elle compte plus de 2000 abonnées à travers le Québec et contribue à l'apparition de « groupes de conscience » un peu partout. Dans ces groupes, des femmes se rassemblent pour discuter entre elles de leurs problèmes et des nouvelles analyses pour les résoudre. Ce qu'elles lisent dans *Québécoises deboutte !*, elles ne l'ont jamais lu ailleurs sinon dans quelques rares livres venus de France ou des États-Unis. Les militantes du Centre des femmes sont véritablement engagées dans leur cause. Elles font des semaines de 70 heures, se dépensent sans compter, assurent la permanence du Centre de référence pour les avortements, produisent le journal, c'est-à-dire qu'elles font la conception, la rédaction, la mise en pages, la distribution, sans oublier les discussions avec l'imprimeur. De plus, elles multiplient les entrevues à la radio, à la télé.

Toutefois cette mobilisation intense et ces discussions idéologiques vont avoir raison du groupe. Une militante confie :

« Être trop dans l'action ne permet que difficilement la réflexion nécessaire au renouvellement, à la création. »

Elle ajoute :

« Un profond sentiment de culpabilité, face aux critiques, avait traumatisé la plupart des militantes qui ne voyaient plus du tout les acquis du Centre. »

À la fin de 1974, elles ferment le Centre des femmes. Quelques-unes vont tout de même poursuivre leur vie de militante féministe dans de nouveaux groupes que nous rencontrerons dans les chapitres suivants. **Ce nouveau féminisme prend-il la place de la Fédération des femmes du Québec ?**

La Fédération des femmes du Québec et ses multiples chantiers

Pendant que cette activité fébrile se déroule dans de petits groupes, les membres de la Fédération des femmes du Québec, beaucoup plus nombreuses, ont l'intime conviction que leur action doit toujours s'aligner sur les méthodes des groupes de pression, et non pas sur des méthodes « révolutionnaires ». En janvier 1970, paraît le *Rapport de la Commission d'enquête sur la situation de la femme* (Rapport Bird). Il a 540 pages et il est assorti de 167 recommandations. Un des points les plus controversés est certainement la question de l'avortement. Sept articles concernent la contraception et l'avortement, dont l'article 126 : « La Commission recommande la modification du Code criminel afin de permettre à un médecin qualifié de procéder à l'avortement à la seule requête de la femme qui est enceinte de 12 semaines ou moins. »

Toutefois, les commissaires ne sont pas unanimes. Deux commissaires, Jacques Henripin et Doris Ogilvie, s'en dissocient, alors qu'Elsie Gregory McGill considère que la Commission n'est pas allée assez loin. Elles déclare :

« À mon sens, l'avortement ne doit plus être un délit mais un problème d'ordre privé qui regarde le médecin et sa cliente. »

Un très grand nombre de recommandations du Rapport Bird risquent de transformer la vie des femmes. En effet, les recommandations visent la vie économique, l'éducation, la famille, la fiscalité, la pauvreté, la vie politique, l'immigration, la nationalité et la délinquance féminine. On recommande, entre autres, qu'aucune fonction ne soit interdite aux femmes. Bientôt, on verra des femmes dans la Gendarmerie royale, dans les services de police, dans l'armée.

La FFQ publie un *Guide de discussion du Rapport Bird* de 46 pages, distribué à des milliers d'exemplaires. Des animatrices sillonnent le Québec pour diriger les discussions. Dans toutes les associations féminines, dans tous les cercles de l'AFÉAS, dans tous les cercles de fermières, on tient de nombreuses réunions sur les conclusions du Rapport Bird. Les femmes sont loin d'être unanimes, mais les idées font leur chemin.

La dernière recommandation du Rapport Bird vise à créer dans chaque province un organisme « qui se consacre à la situation de la femme et qui ait l'autorité et les fonds nécessaires pour que son action soit réellement efficace ». La FFQ se met aussitôt au travail. Elle forme un comité qui prépare un mémoire solidement documenté : *L'Office de la femme*. Il est présenté à Robert Bourassa, premier ministre du Québec et chef du Parti libéral, en novembre 1971. En habiles stratèges, ce sont des femmes également membres de la Fédération des femmes libérales qui forment le comité. Ce sont des militantes aguerries qui connaissent les méthodes éprouvées pour faire avancer leur cause en politique : elles les ont apprises au sein même de leur organisation libérale. Le mémoire est imprimé à des centaines d'exemplaires et distribué dans les organisations féministes et féminines. Il est aussi envoyé à tous les ministères, et est également traduit en anglais.

Le comité se présente à Québec. « Notre mémoire n'est pas écrit dans un esprit de revendication », précise l'aide-mémoire rédigé pour préparer la rencontre avec Robert Bourassa. Leur grande crainte est que l'organisme proposé par le gouvernement n'ait pas l'autorité suffisante et qu'il accentue la discrimination envers les femmes. On craint de faire des femmes des citoyennes « à part ». Présenté à l'Assemblée nationale par Claire Kirkland, le projet est finalement adopté le 6 juillet 1973, et un nouveau nom a été choisi pour l'organisme : Le **Conseil du statut de la femme**. La première présidente, Laurette Champigny-Robillard, était membre du comité de la FFQ. Certes, c'est le gouvernement libéral qui a mis en place ce Conseil, mais tout le travail avait été accompli par les membres de la Fédération des femmes du Québec.

Chaque année, la FFQ organise un congrès pour établir ses priorités. Durant toutes les années 1970, ces congrès sont de véritables

Une militante active, Simonne Monet-Chartrand, prend la parole lors d'un des nombreux congrès organisés par la Fédération des femmes du Québec. De gauche à droite : Ghislaine Patry-Buisson (présidente de la Fédération de 1974 à 1977), Monique Bégin (fondatrice), Yvette Rousseau (présidente de 1970 à 1974), Simonne Monet-Chartrand (fondatrice) et Rita Racette-Cadieux (présidente de 1968 à 1970).

assises de concertation féministe : et pourtant le mot « féministe » est rarement utilisé, car ce terme désigne désormais les féministes radicales. La FFQ prépare des documents de travail, forme des comités, organise des séances d'information, participe aux congrès organisés par d'autres organismes et publie, à partir de 1969, *Le Bulletin de liaison de la Fédération des femmes du Québec*. La FFQ concentre son action sur les droits des femmes, sur l'éducation, sur la structure familiale, sur le travail rémunéré, sur l'engagement politique, sur le développement social, sur l'environnement, sur l'organisation économique et sur les questions internationales. Vaste programme !

« La FFQ est un organisme sérieux, raisonnable, déterminé », déclare Yvette Rousseau, qui a siégé à l'exécutif pendant huit années. Toujours cette volonté d'afficher un ton modéré, ce souci de se démarquer des féministes radicales. Et pourtant, la FFQ devra se pencher sur la question de l'avortement : grave question qui divise les membres. Quelle sera la position de la FFQ ? Le **Conseil régional de**

Sherbrooke prépare un mémoire. Après bien des déchirements, ses membres prennent position en faveur de l'avortement avec prudence, en distinguant l'aspect légal, l'aspect éducatif (éducation sexuelle) et l'aspect économique et social. Elles réclament le droit à l'avortement au nom d'une plus grande justice pour les femmes. Cette position est entérinée par la FFQ au congrès suivant.

Dès 1974, on prépare l'Année internationale de la femme. En effet, sous l'influence des organisations féministes qui œuvrent sur le plan international, l'ONU a déclaré que l'année 1975 serait l'occasion de faire le point sur la situation des femmes dans le monde. La journaliste Paule Sainte-Marie est chargée de coordonner toutes les activités qui seront mises en place un peu partout à travers le Québec. Colloques, conférences, journées d'étude, impossible de tout énumérer. Cette année-là, il est régulièrement question des femmes dans les médias. L'émission *Femmes d'aujourd'hui* bourdonne d'entrevues et de reportages.

La présidente de la FFQ en 1975, Ghislaine Patry-Buisson, se rend à Mexico, où se tient la Ire Conférence mondiale sur les femmes de l'ONU, un colossal rassemblement international de délégations officielles et d'organisations non gouvernementales (ONG). Plus de 10 000 femmes sont rassemblées, sous le thème « Égalité. Développement. Paix ».

À cette rencontre, les femmes occidentales sont en majorité. Ce qui incite une Africaine à déclarer :

« Il faut être riche pour parler de féminisme. »

En dépit des divergences qui se sont manifestées, la solidarité unit profondément les femmes du monde entier. **Au Québec, qu'ont accompli les femmes depuis le début des années 1970 ?**

22

Le féminisme fait des vagues

Dès le début des années 1970, toutes les associations où on trouve des femmes sont interpellées par les idées féministes, qu'elles soient « radicales » ou « réformistes ». Par ailleurs, les différents niveaux de gouvernement, fédéral, provincial, municipal, tout comme les commissions scolaires, mettent désormais à la disposition des citoyens et des citoyennes une large panoplie de programmes qui permettent aux divers groupes d'obtenir du financement. Le Centre des femmes, la Fédération des femmes du Québec, l'AFÉAS et nombre d'autres ont reçu un financement ponctuel pour l'une ou l'autre de leurs activités. C'est un aspect de l'État providence qui ne doit pas être négligé pour comprendre le foisonnement des initiatives féministes. Il ne sera pas possible de toutes les mentionner, mais examinons les plus significatives.

Actions politiques

Les membres de la Fédération des femmes libérales sont invitées à se joindre au Parti libéral en 1970 ; elles ont toujours refusé de s'y associer formellement. Elles vont négocier les conditions de leur adhésion, car elles ne veulent pas être refoulées à la marge des comités et de l'exécutif. Lise Bacon, présidente de la Fédération des femmes libérales, se présente alors au conseil général du parti et propose une formule pour garantir des postes aux femmes dans les comités de comté, dans les principales commissions, surtout dans la stratégique commission politique, celle qui définit le programme du parti, et à l'exécutif. De cette manière, les femmes seront assurées de pouvoir prendre la parole dans toutes les instances du parti et surtout d'inscrire leurs propres objectifs dans le programme. Oh ! ce n'est pas toujours facile. Le meilleur exemple est celui des garderies dont nous reparlerons plus loin. Cette opération permet au Parti libéral de doubler son membership.

Au Parti québécois, qui apparaît sur la scène politique à la fin de 1968, les femmes sont très nombreuses à devenir membres dès la fondation. Un comité de condition féminine tente de placer les priorités des femmes au cœur du programme du parti, mais plusieurs militantes font face à un courant plutôt conservateur à l'intérieur du parti. Que fera le parti de leurs revendications ? À la suite d'un colloque organisé par la région Montréal-Centre, les femmes ont compris qu'elles doivent se solidariser. Elles implantent des **comités de condition féminine** dans chaque circonscription et appuient divers groupes féministes. Ces femmes deviennent de plus en plus critiques envers leur propre parti, et ces critiques deviendront très vives lorsque le Parti québécois prendra le pouvoir en 1976. Le féminisme peut-il se conjuguer avec la politique ?

Malgré tout, ce parti contribue à faire avancer la cause des femmes. Lorsque la députée Louise Cuerrier est nommée à la vice-présidence de l'Assemblée nationale, on féminise ce titre, vice-présidente, sur un avis de l'Office de la langue française. La féminisation de la langue et des titres de fonctions, pour rendre compte de l'accès des femmes à des postes naguère masculins, prend alors un essor irrésistible, et le Québec devient rapidement le leader mondial de la féminisation du français. Lise Payette est la première femme à se faire appeler Madame la Ministre lorsqu'elle devient ministre d'État à la Condition féminine en 1979. Cette démarche n'aurait pas été possible sans l'action des militantes à l'intérieur du parti.

Un autre groupe de femmes décide de porter leurs revendications sur la scène politique. Les femmes autochtones n'ont pas oublié les revendications de Mary Two-Axe Early et de ses consœurs mohawks devant la Commission Bird. En 1974, apparaît **Femmes autochtones du Québec**, qui représente les femmes des Premières Nations du Québec ainsi que les femmes autochtones vivant en milieu urbain. Elles font la promotion de la justice, de la non-violence, de l'égalité des droits et de la santé. Elles souhaitent aussi faire modifier l'antique Loi sur les Indiens.

À Québec, Marcelle Dolment est préoccupée par les aspects juridiques des problèmes que vivent les femmes. Elle est surtout scandalisée par la coutume qui exige qu'une femme soit toujours identifiée par son statut matrimonial : *Madame*, pour les femmes mariées et *Mademoiselle*, pour les célibataires. Elle suggère d'utiliser l'abréviation *Mad.*, comme les Américaines ont imposé *Ms.* pour remplacer *Miss* et *Mrs.* Si son initiative ne réussit pas, la coutume se répand de désigner toutes les femmes par le mot *Madame*, y compris les religieuses. Elle publie un ouvrage, *La femme au Québec*, en 1973, et fonde la même année le **Réseau d'action et d'information pour les femmes**, le **RAIF**, qui publie la revue du même nom. Elle diffuse principalement des dossiers juridiques et des revues de presse. Le RAIF suscite également la création de sections dans plusieurs régions.

Actions syndicales

Dans les syndicats, l'heure est à la contestation. Le Québec est traversé par d'importants conflits de travail au début des années 1970. Cette fois, les grèves frappent les milieux de la santé et de l'éducation. Le Front commun des trois centrales syndicales (CSN, FTQ et CEQ) en 1972 est brisé par une loi spéciale et l'emprisonnement des trois chefs syndicaux. Les femmes syndicalistes imposent la création de **comités-femmes** dans les trois centrales. Ces comités, on doit le noter, ne se nomment plus « comité féminin » comme celui de la CTCC durant les années 1950. Ces comités-femmes vont désormais jouer un rôle central dans le mouvement féministe.

En 1973, la Fédération des travailleurs du Québec (FTQ) rend publique sa position dans un document intitulé *Travailleuses et syndiquées*. Au-delà des revendications traditionnelles, congés de maternité, garderies, égalité salariale, c'est la discrimination dans l'emploi qui est remise en question. Pourquoi les femmes ne peuvent-elles pas exercer tous les métiers ?

À la Confédération des syndicats nationaux (CSN), nouveau nom de la CTCC, le comité-femmes est mis en place en 1974. Il fera connaître sa politique en 1976 : *La lutte des femmes, combat de tous les travailleurs.* C'est une grande victoire pour les militantes, de faire endosser leurs revendications par l'ensemble des syndiqués. Cependant, les textes sont grandement influencés par les analyses de l'extrême-gauche : l'amélioration de la condition des femmes est liée à l'abolition du capitalisme.

À la Centrale de l'enseignement du Québec, le comité-femmes est créé dès 1973. Il prend le nom de comité Laure-Gaudreault, en hommage à cette pionnière de l'action syndicale chez les institutrices. Toutefois, la centrale mettra du temps à publier un document d'orientation, en 1980.

Ce sont les centrales syndicales qui prennent en main l'organisation de la Journée internationale des femmes le 8 mars 1974. À la Fédération des femmes du Québec et à l'AFÉAS, toutefois, on ne fête pas encore la Journée internationale des femmes parce que cette activité est alors associée aux féministes radicales.

Actions sociales

Au début des années 1970, la question de l'avortement fait continuellement les manchettes. Ce débat a monopolisé l'attention durant de nombreuses années. L'Assemblée des évêques, les cercles de fermières, des membres du Parti québécois, de nombreux groupes Pro-vie prennent position contre l'avortement. De leur côté, les groupes féministes multiplient les manifestations et participent à des colloques, des «journées», des actions sur le plan international. Elles font valoir que les femmes ne sont pas contre la vie, mais pour le «choix» de recourir à l'avortement. Le slogan proclame:

«Nous aurons les enfants que nous voulons.»

Dans les manifestations, les Pro-choix s'opposent désormais aux Pro-vie. Le Dr Morgentaler, plusieurs fois arrêté et emprisonné, doit subir maints procès. Il est toujours acquitté. En janvier 1974, se met en place le **Comité de lutte pour l'avortement libre et gratuit**, avec des militantes du Centre des femmes qui vient de fermer, et qui deviendra le fer de lance de cette lutte mémorable et «toujours inachevée», comme le dit Louise Desmarais, une des principales responsables de cette bataille.

Enfin, un groupe de femmes réclament à leur tour la liberté et leurs droits: les lesbiennes. Dénoncer les oppressions, au début des années 1970, c'est un courant majeur, rattaché à la contestation sociale, si importante à ce moment-là. Il est également rattaché au contexte de la «révolution sexuelle», qui critique la morale sexuelle traditionnelle.

La lutte pour le droit à l'avortement est une des plus importantes des années 1970. On ne compte plus les manifestations qui sont alors organisées. Celle-ci a lieu le 22 avril 1978 devant l'Assemblée nationale et est organisée par la Coordination nationale pour l'avortement libre et gratuit.

Or, depuis toujours, les lesbiennes vivent dans la clandestinité. Si elles s'affichent ou si, malgré d'infinies précautions, elles se font identifier comme lesbiennes, elles sont souvent rejetées par leurs familles, renvoyées de l'école, congédiées de leur emploi ou même interpellées par la police, car l'homosexualité a été considérée comme un crime jusqu'en 1969. Non seulement un crime, elle est aussi un péché, voire une maladie!

Certaines lesbiennes participent activement à différents groupes de femmes, y compris pour réclamer l'avortement libre et gratuit. Et pourtant... l'avortement n'est pas un de leurs problèmes! C'est qu'elles aussi veulent contrôler leur corps et choisir leur sexualité. Elles aspirent à l'autonomie économique. Elles refusent de dépendre économiquement des hommes. Bref, les revendications féministes correspondent à leur désir de vivre ouvertement leur attirance pour d'autres femmes. Des groupes informels de lesbiennes se mettent en place au milieu des années 1970 pour créer des lieux de rencontre ailleurs que dans les bars.

Dans les groupes populaires qui foisonnent au début des années 1970, c'est la question des garderies qui attire l'attention. Il ne s'agit plus uniquement d'un besoin pour les mères au travail mais également d'un besoin pour l'enfant. Le gouvernement subventionne ainsi quelques garderies dans les milieux défavorisés. Des garderies apparaissent un peu partout, fondées par les groupes populaires, les groupes de parents, les groupes féministes, soutenues par les syndicats. Dans les milieux politiques, plusieurs continuent de penser que cette question ne concerne pas le gouvernement : « Que les femmes qui veulent travailler se débrouillent ! » Mais, comme le Rapport Bird recommande la création d'un réseau de garderies financé par l'État, il faudra bien se pencher un jour sur une politique plus générale.

À la fin de 1973, il y a déjà plus de 250 garderies, la plupart gérées par les parents. On en compte 70 issues de projets d'Initiatives locales et seules 10 sont subventionnées par le ministère des Affaires sociales. En 1974, Lise Bacon, devenue ministre libérale, lance un premier et timide programme gouvernemental de garderies : aide financière aux parents et subventions de démarrage pour les garderies sans but lucratif. On est loin des demandes des féministes qui réclament un réseau complet. C'est que le Parti libéral n'en fait pas sa priorité. Au congrès d'avril 1976, ce dernier a rejeté, sans aucune discussion, une proposition qui prévoyait l'établissement d'un réseau complet de garderies et recommandé plutôt un généreux programme d'allocations familiales. La bataille des garderies ne fait que commencer !

Du côté de l'AFÉAS, les discussions sont vives. L'AFÉAS est-elle une association féminine ou féministe ? Est-elle un mouvement familial ? Les membres, très majoritairement des mères de famille, sont en effet passablement déroutées par les comportements de leurs adolescents, à cette époque qualifiée de « hippie ». Elles se tiennent, pour le moment, prudemment à l'écart du débat sur l'avortement. Pendant que ces débats se poursuivent, la présidente Azilda Marchand estime qu'il y a un problème beaucoup plus important à considérer : celui du travail invisible des femmes. Elle a été fort déçue du Rapport Bird :

« On ne s'est pas préoccupé des femmes rurales, du sort de celles qui sont au travail dans l'entreprise familiale. »

Grâce à elle, l'AFÉAS entreprend, en 1974, de documenter la question du travail invisible de celles qu'on appelle bientôt « les femmes collaboratrices» dans l'entreprise familiale, notamment dans les fermes. Leur rapport, produit en 1976, va bouleverser la vie des femmes de la campagne et susciter des revendications qui vont leur permettre d'être considérées comme de «vraies» travailleuses.

Ainsi, les deux principaux courants du féminisme, le féminisme réformiste et le féminisme radical, influencent différemment les partis politiques, les syndicats, les associations féminines. On pourrait multiplier les exemples. **Mais toutes ces initiatives rejoignent-elles l'ensemble des femmes?**

23

Aider les femmes en difficulté

Assurément, ce ne sont pas toutes les femmes qui sont concernées par l'engagement politique ou syndical. À côté de ces minorités se profile la majorité des femmes, qui restent un peu étourdies par les échos du mouvement féministe qu'elles perçoivent à travers les journaux et magazines, ou à la radio et à la télé. Surtout, il y a bien des femmes qui ont beaucoup trop de difficultés personnelles pour se préoccuper du féminisme.

Ces femmes se rassemblent tout de même pour discuter de leurs problèmes : elles veulent se prendre en main. Depuis qu'elles ont droit à l'assistance sociale, les mères célibataires (on ne les appelle plus filles mères) ne donnent plus leurs enfants à l'adoption et se retrouvent aux prises avec la grande difficulté d'élever leurs enfants avec les seules allocations de l'aide sociale. Selon la loi, leurs enfants ne leur appartiennent pas. Elles doivent les adopter pour qu'ils soient considérés comme leurs enfants légitimes si elles ne se marient pas ! La plupart n'ont pas les connaissances juridiques nécessaires pour faire ces démarches. Vont-elles réussir à se rassembler ?

Depuis que le gouvernement fédéral a autorisé le divorce en 1969, le nombre de femmes séparées et divorcées s'est mis à augmenter. La plupart ont la garde de leurs enfants, et se retrouvent complètement démunies financièrement. À cette époque, le divorce et la séparation sont encore vus comme des situations très humiliantes. En 1970, on met en place à Montréal **ANO-SEP** (abréviation de Séparées anonymes), un organisme qui fonctionne sur le modèle des alcooliques anonymes. Les femmes séparées y partagent leur expérience et entreprennent ensemble une sorte de thérapie de groupe.

En 1973, a lieu à Sherbrooke un *teach-in*[1] sur les familles monoparentales, à l'initiative d'une mère séparée. Des experts viennent échanger sur les divers problèmes de ces familles. Dans la salle, des centaines de femmes comprennent qu'elles doivent s'unir pour s'entraider et défendre leurs droits. Elles mettent sur pied le **Carrefour des familles monoparentales.** Elles seront rejointes en 1974 par les femmes d'ANO-SEP. Ce mouvement fait boule de neige à travers le Québec, car il répond à un énorme besoin. Dès 1976, on retrouve près de 60 groupes dans 39 villes. Ces groupes seront influencés rapidement par les analyses féministes.

En 1974, à l'Institut Notre-Dame de la Protection, le refuge pour femmes fondé à Montréal par Yvonne Maisonneuve en 1932 durant la crise économique, les associées réalisent qu'elles doivent se réajuster à la nouvelle réalité. Elles changent le nom de leur maison, qui devient **Le Chaînon.** Leur clientèle est de plus en plus constituée de femmes qui fuient un mari qui les bat.

Ailleurs au Québec, la situation est la même. En 1974, à Longueuil, une bénévole du Service diocésain de l'aide aux familles reçoit à son bureau une femme accompagnée de ses enfants qui ne sait où passer la nuit : son mari l'a battue. Rien n'est prévu dans ce cas. Après avoir trouvé une solution temporaire pour l'aider, elle perd la trace de cette femme et se dit : il faut faire quelque chose. Elle décide immédiatement, avec d'autres femmes, d'entamer les démarches pour ouvrir une maison d'hébergement. À la fin de 1975, **Carrefour pour elle** ouvre à Longueuil.

À Sherbrooke, ce sont les membres de l'**Association des familles monoparentales** qui découvrent que plusieurs d'entre elles ont vécu avec un mari violent. Les responsables estiment qu'il faut une maison pour accueillir ces femmes. Après bien des négociations, enquêtes dans les services sociaux, recherches de subventions, elles réussissent à obtenir une résidence de la commission scolaire, mais elles n'ont pas le droit de recevoir les femmes la nuit... Finalement, avec l'aide de religieuses, les Filles de la Charité du Sacré-Cœur, elles obtiennent

---

1. On appelle *teach-in* des colloques qui durent une journée complète (souvent plus de 12 heures) et où les conférenciers et conférencières se succèdent rapidement à chaque heure. Les *teach-in* sont très populaires au début des années 1970, comme les *sit-in*, où on occupe des lieux publics ou des bureaux, ou même les *bed-in*, alors que les gens se couchent dans des endroits publics.

enfin une maison pouvant recevoir plusieurs mères et leurs enfants. C'est l'ouverture de l'**Escale de l'Estrie** en 1975.

«Ces maisons d'hébergement ont vu le jour parce qu'aucune institution ne répondait aux besoins des victimes de violence conjugale», déclare Madeleine Lacombe, une des premières militantes à travailler sur le dossier de la violence.

Il est bien évident que le phénomène des femmes battues n'est pas nouveau. Dans les milieux féministes, on en parlait déjà timidement au début du xxᵉ siècle à la FNSJB, en utilisant l'expression «abus de force». C'est pour contrer la violence conjugale que les féministes de cette époque militaient contre l'alcoolisme. Mais ce problème était considéré comme une question relevant du domaine privé. Rares étaient les femmes qui osaient poursuivre leur mari en justice. La plupart, absolument dépendantes économiquement de leur mari, enduraient la situation, car le divorce était impossible. Ce qui a changé, à partir des années 1970, c'est la multiplication des séparations, le fait que les femmes osent en parler entre elles et font enfin tomber le tabou de la violence familiale.

Bientôt, de nouvelles maisons «pour femmes battues», c'est le nom qu'on leur donne alors, vont être fondées un peu partout à travers le Québec, tant le problème est généralisé. En 1976, il y a 10 maisons; en 1978, on en compte déjà 23! Ce n'était pas un problème nouveau, comme on vient de le voir, mais les services sociaux n'avaient jamais rien prévu pour y faire face. Dans le Rapport Bird, il n'en avait même pas été question: pas une seule ligne! La violence conjugale était considérée comme une question privée. Il a fallu l'action des femmes elles-mêmes pour que les idées commencent à changer et que de telles maisons apparaissent. L'anonymat et le secret absolu sont garantis aux femmes qui ont recours à ces maisons.

Le féminisme a réussi à convaincre des personnes provenant de la sphère religieuse à ouvrir des refuges pour les femmes. Elles comprennent rapidement qu'elles doivent aider les femmes à se prendre en main, et l'analyse féministe va beaucoup les aider. D'ailleurs, plusieurs groupes de féministes radicales vont également fonder des refuges. Leur analyse de la violence contre les femmes devient beaucoup plus percutante et semble menaçante pour plusieurs hommes. Décidément, le féminisme fait des vagues, dans tous les milieux. **Aura-t-il aussi une influence sur la scène culturelle?**

24

Les artistes explorent
la conscience féministe

Oui, ça brasse, au début des années 1970, sur la scène féministe. Ce n'est pas pour rien que tant de gens croient que le féminisme est né à cette époque. Mais si on parle d'ébullition féministe dans les années 1970, c'est surtout à cause de tous les événements culturels à contenu féministe qui éclatent à cette période. Ils sont si nombreux qu'il ne sera pas possible, là non plus, de tous les rapporter. Tous les arts sont au rendez-vous : cinéma, théâtre, littérature, chanson, arts visuels. Dans ce climat exceptionnel, les femmes de tous les milieux sont touchées par le message féministe, même celles qui ne se préoccupaient pas de la « condition des femmes ». Soudain, les femmes ne sont plus seulement des muses et les inspiratrices des hommes, mais deviennent les sujets de leur propre créativité.

Un cinéma de femmes pour les femmes

Les cinéastes entrent en scène en 1972. Depuis des décennies, des femmes travaillaient dans le milieu du cinéma, mais elles étaient à proprement parler invisibles, dissimulées dans des tâches subalternes, cachées derrière les réalisateurs, et soumises au regard des hommes devant les caméras. Dès 1972, une équipe de 13 femmes, réalisatrices, productrices, scénaristes, assistantes, constituent un groupe de travail et rencontrent, pendant six mois, d'autres femmes de différents groupes d'âge. Toutes les rencontres ont été filmées et ces conversations parfois très intimes ont servi de détonateur, il n'y a pas d'autre mot, pour la série de films *En tant que femmes*, produite par l'Office national du film.

«Les femmes de banlieue sont arrivées à nos réunions en affichant le bonheur parfait. À la fin, elles étaient moins sûres : ce bonheur, elles en ont payé le prix, le sacrifice de leur individualité», se rappelle la cinéaste Anne-Claire Poirier, une des animatrices.

Documentaires, fictions, courts-métrages, tous les genres cinématographiques sont utilisés. Dès 1973, trois films sont lancés. Lorsque *Souris, tu m'inquiètes* d'Aimée Danis sort sur les écrans, en 1973, des milliers de femmes de banlieue désorientées se reconnaissent! Quand *J'me marie, j'me marie pas* de Mireille Dansereau apparaît, ce regard critique sur le mariage suscite beaucoup de remises en question. Avec *À qui appartient ce gage ?*, réalisé par un collectif de cinq réalisatrices, la question des garderies sort sur la place publique, en dehors des cercles de militantes féministes.

«Il est rare d'entendre les femmes dire "Moi je", rappelle encore Anne-Claire Poirier. Ça a été pour nous la plus navrante constatation.»

Dans son film *Les filles du Roy* (1974), qui propose un récit mélancolique sur l'histoire des Québécoises, la cinéaste fait défiler des photos d'hommes pendant qu'une voix féminine murmure : «Mon fils juge, mon fils prêtre, mon fils médecin, mon fils ministre...» Une autre séquence montre des femmes qui s'occupent des enfants pendant qu'on entend : «Je console, je soigne, je caresse, je nourris, je berce, je... je...» Les femmes sortent de ce film bouleversées de comprendre que «leur» vie ne leur appartient pas vraiment.

Dans le film d'Hélène Girard, *Les filles, c'est pas pareil*, sorti en 1974 également, des adolescentes parlent des rapports amoureux et amicaux. Elles ne sont pas d'accord avec la soumission qu'on attend d'elles. Elles ne veulent plus être comme leurs mères. D'ailleurs, les femmes de plus de 65 ans que les cinéastes avaient rencontrées, avaient dit :

«Y a assez de nous qui nous nous sommes fait avoir. Tant mieux si les jeunes peuvent éviter toutes nos misères.»

Enfin, en 1975, Anne-Claire Poirier réalise *Le temps de l'avant*, une fiction bouleversante sur la question de l'avortement. Cette série de films a eu une influence déterminante sur les Québécoises. Par la suite, de nombreux films sont venus souligner les débats lancés par les féministes. Nous ne pourrons en citer que quelques-uns dans les chapitres suivants de ce récit.

Des pièces de théâtre qui font du bruit

Plusieurs femmes qui participaient à des groupes autonomes ont, à la même époque, pris la décision de passer par le théâtre pour « mettre le féminisme sur la mappe ». En 1975, d'anciennes militantes du Front de libération des femmes et du Centre des femmes fondent le **Théâtre des cuisines**. Elles ont choisi ce nom pour évoquer le travail invisible et gratuit des femmes. D'ailleurs, leur première pièce, une création collective, porte justement sur le travail ménager, avec un titre emprunté à Yvon Deschamps : *Môman travaille pas, a trop d'ouvrage*. Cette troupe va fonctionner quelques années et présenter de nombreuses pièces.

En 1976, plusieurs comédiennes du Théâtre expérimental de Montréal montent des spectacles « femmes ». Le dernier, une création collective, À *ma mère, à ma mère, à ma mère, à ma voisine* est déterminante pour plusieurs d'entre elles, qui fondent ensuite le **Théâtre expérimental des femmes** en 1979. Pendant cinq ans, ce groupe, animé par Pol Pelletier, marquera de manière définitive le théâtre montréalais.

Au cours de cette période, trois pièces surtout ont retenu l'attention, présentées au Théâtre du Nouveau Monde : *La Nef des sorcières* (1976) une autre création collective, *Les fées ont soif* (1978) de Denise Boucher et *La Saga des poules mouillées* (1981) de Jovette Marchessault.

Les fées ont soif met en scène une épouse, une prostituée et la Sainte Vierge, trois visages de « la » femme qui crient leur colère d'être enfermées dans un moule. Considérée comme une « cochonnerie » par le président du Conseil des arts de la région métropolitaine qui refuse de la subventionner, la pièce est vertement critiquée par les autorités religieuses. On obtient une injonction qui interdit la publication du texte, mais le débat est si vif que les exemplaires s'envolent comme de petits pains chauds. De nombreux groupes catholiques protestent contre les représentations, y compris les cercles de fermières. Quoi qu'il en soit, la pièce est un grand succès, alimenté par le scandale et les douzaines d'articles, favorables ou non, publiés dans tous les médias. Denise Boucher et le Théâtre du Nouveau Monde gagnent en Cour suprême contre la menace d'injonction.

Le théâtre est vraiment un lieu de prise de parole pour les féministes. De 1974 à 1980, et surtout à partir de 1977, on voit à travers le

Les créations collectives sont nombreuses à cette époque de théâtre engagé. En 1976, *La Nef des sorcières* remporte un grand succès. Les comédiennes ont aussi collaboré à l'élaboration du texte. De gauche à droite : Pol Pelletier, Michèle Magny, Françoise Berd, Louisette Dussault, Michèle Craig et Luce Guilbeault.

Québec 25 spectacles de femmes, en majorité des créations collectives. Au printemps de 1980, le premier Festival de créations de femmes remporte un énorme succès : 15 spectacles, 4 performances, 2 lectures, 4 films, 2 shows de musique, 1 vidéo et 12 ateliers. Plus de 1000 personnes, venant de tous les milieux, y participent. Ce théâtre-là débouche le plus souvent sur la militance et sur une myriade d'expériences qui vont permettre aux femmes de sortir des avenues où la tradition théâtrale les avait maintenues.

L'écriture des femmes

Les écrivaines de leur côté n'ont pas attendu le scandale des *Fées ont soif* pour mettre à l'ordre du jour l'écriture des femmes. Dès 1975, elles convainquent les responsables de la Rencontre québécoise internationale des écrivains d'organiser le colloque *La femme et l'écriture*, où se pressent écrivains et écrivaines de toute la francophonie.

« Les appareils littéraires sont actuellement, je regrette d'avoir à le dire et je ne fais pas d'accusation, entre les mains des hommes », affirme Madeleine Ouellette-Michalska.

« J'ai mis quelques mois pour écrire mon dernier livre. Ça m'a pris quatre ans pour le faire publier », ajoute Monique Bosco.

L'entreprise marque un tournant dans la vie littéraire québécoise. Par la suite, poètes, romancières, essayistes vont expérimenter les modalités d'une écriture qui profite de la modernité pour s'affranchir des codes, de la grammaire, des genres littéraires, des modèles prescrits : « écrire *je suis une femme* est plein de conséquences », proclame Nicole Brossard, qui devient rapidement la chef de file de cette nouvelle écriture.

Les écrivaines explorent la condition des femmes, l'action féministe, les rapports hommes-femmes, le lesbianisme, l'intime, l'imaginaire, avec une écriture dérangeante. Les écrivaines, en effet, s'affirment comme sujet féminin et non plus à travers le prisme du regard masculin. Soudain, l'écriture des femmes devient le phénomène majeur de la littérature québécoise.

La majorité de ces écrits ne sortent guère des milieux littéraires, mais en 1976 paraît *L'Euguélionne*, qui devient aussitôt un best-seller. C'est le premier livre qui table sur la popularité du féminisme pour faire sa publicité ! L'auteure, Louky Bersianik, y mêle tous les genres :

Lucile Durand refuse de perpétuer la tradition patriarcale voulant que les femmes portent le nom de famille d'un homme. Elle prend le nom de Louky Bersianik. En 1976, elle publie *L'Euguélionne*, le premier livre québécois qui s'affiche comme « féministe » sur la couverture. C'est un succès instantané.

conte, théorie, fiction, humour, polémique. Elle imagine un person-
nage mythique, l'Euguélionne, qui arrive sur Terre et s'étonne du sort
des femmes. Les lectrices dévorent ce livre incendiaire pendant que
les lecteurs, incrédules, n'osent pas trop protester. Une femme de
quartier populaire déclare :

« Après voir lu *L'Euguélionne*, j'ai changé ma vie. »

Louky Bersianik est le pseudonyme qu'a choisi Lucile Durand :
celle-ci rejette la coutume patriarcale d'imposer aux filles le nom de
leur père. Elle se donne donc un nom qui atteste son refus de tous
les codes.

Les femmes en chanson

Et ce n'est pas tout. Depuis que Clémence DesRochers a monté, avec
des amies chanteuses et comédiennes, la revue *Les Girls* en 1969,
d'autres chanteuses et monologuistes ont introduit des thèmes féministes inédits dans leurs numéros. Jacqueline Barrette fait un malheur
avec son monologue « La Moman » en 1972, qui permet de comprendre
l'aliénation des femmes des milieux populaires. Clémence DesRochers
met en scène ses personnages de fille de « factrie », de serveuse,
d'ouvrière, qui sensibilisent le public à la condition des femmes de la
classe ouvrière. Pauline Julien propose des chansons parfois remplies
de colère, parfois remplies de tendresse. Diane Dufresne invente un
rock au féminin qui a souvent des accents féministes ; *J'ai douze ans,
maman !* exprime tout le désarroi des adolescentes au seuil de leur vie
de femme, pour n'en donner qu'un seul exemple.

S'exprimer par les arts

Même les arts visuels entrent dans la danse. Les descendantes des
signataires du *Refus global* expriment maintenant leurs interrogations
féministes. Parmi toutes les réalisations de la décennie 1970, il faut
rappeler au moins l'aventure de *La Chambre nuptiale* de Francine
Larivée. Il est remarquable en effet que ce projet considérable, qu'on
a mis près de deux ans à produire, ait reçu la plus importante subvention de l'Année internationale de la femme au Canada. Il a également obtenu des subventions dans le cadre des Jeux olympiques de

Francine Larivée crée une œuvre monumentale exposée au Complexe Desjardins en 1976 : *La Chambre nuptiale*. Elle propose une réflexion-choc sur le mariage, considéré comme un piège pour les femmes. Le lit nuptial y est présenté comme un lit mortuaire.

Montréal en 1976. Une équipe de centaines de personnes y a travaillé. Cette installation utilise la peinture, la sculpture, les sons et l'animation avec le public. Elle propose littéralement un voyage dans le ventre maternel. Exposée d'abord en 1976 au Complexe Desjardins, *La Chambre nuptiale* a été vue chaque jour par des milliers de personnes, qui ne pouvaient qu'être dérangées par cette vision critique du mariage.

« Le mariage semblait être la seule voie royale pour les femmes mais on taisait qu'il puisse aussi être un piège. C'est ce que j'ai voulu montrer », explique Francine Larivée. Celle-ci s'est tellement investie dans ce projet qu'elle est ensuite restée sept ans sans pouvoir se remettre à la création.

À partir de 1973, une galerie d'art se consacre exclusivement aux œuvres d'artistes féministes. La galerie Powerhouse est le premier centre d'artistes autogéré par des femmes au Canada et devient rapidement un lieu incontournable de rencontres et d'initiatives artistiques féministes.

Toutes ces créations sont régulièrement commentées à la radio, à la télévision. Les réalisatrices, les animatrices, les recherchistes sont nourries par ces œuvres variées et servent de courroie de transmission permettant au message féministe de se rendre partout. Le public de cette époque se souvient d'Aline Desjardins à *Femmes d'aujourd'hui* ou de Lise Payette à *Place aux femmes* ou à *Appelez-moi Lise*, c'est normal. Mais à la base, il y a les militantes, les artistes qui ont fait bouger les choses.

Plusieurs personnes pensent et même espèrent qu'après l'Année internationale de la femme, les choses vont se calmer. **Que se passe-t-il sur la scène féministe après 1975 ?**

Le féminisme se diversifie et s'approfondit

près l'Année internationale de la femme en 1975, on a vraiment le sentiment que ça explose : des groupes se forment, des « maisons de femmes battues » s'établissent, des **centres d'aides et de lutte contre les agressions à caractère sexuel (CALACS)** sont mis en place, tout comme des **« maisons des femmes »**, des **centres de santé**, à travers le Québec.

Par ailleurs, le Conseil du statut de la femme publie ses premières recherches, des revues sont lancées, des *teach-in* et des colloques sont organisés, de nouveaux cours sont donnés dans les universités et les collèges : des cours destinés aux femmes ou des cours portant sur la condition des femmes. C'est à ce moment-là qu'on commence à se demander dans beaucoup de milieux :

« Mais que veulent donc les femmes ? »

Le féminisme touche tous les milieux

Au milieu des années 1970, même les magazines à grand tirage entrent dans la danse. Sous la direction de Francine Montpetit, *Châtelaine* endosse ouvertement la lutte des féministes. En octobre 1975, le magazine publie un numéro entièrement consacré aux analyses féministes sous le thème « Je veux parler », en contradiction totale avec les messages des publicitaires. Il bat tous les records de vente en kiosque. Au magazine *Maclean* (l'ancêtre de *L'actualité*), Catherine Lord tient une chronique féministe durant quelques années.

Il est devenu plus difficile de distinguer les féministes « radicales » et les féministes « réformistes », car de nombreuses questions rassemblent les militantes : l'accès à l'avortement, le congé de maternité, les garderies, la violence contre les femmes, la pornographie. En 1977, le congrès de la FFQ porte sur la violence. On parle de moins en moins de «la» femme et de plus en plus «des» femmes, car, disent les féministes, «la» femme n'existe pas, sinon dans la tête des hommes. En 1978, un front commun se met en place pour réclamer un véritable congé de maternité, promis par le Parti québécois à son élection de 1976. Surtout, on se méfie des «trous» de la loi de 1978 sur les congés de maternité et on critique le fait que tellement de travailleuses en soient privées. Dans plusieurs lieux de travail, la grossesse est encore synonyme de congédiement. La liste des groupes qui appuient le manifeste de ce front commun est presque aussi longue que le manifeste lui-même.

Un groupe de jeunes féministes fondent à Montréal la **Librairie des femmes** en 1975, rue Rachel, au cœur du Plateau Mont-Royal. Elle devient rapidement un lieu de rencontre et d'information pour les femmes de plus en plus nombreuses qui se passionnent pour les débats sur la condition féminine. On y organise des tables rondes, des soirées, un café pour pouvoir discuter à en perdre haleine. Cette librairie est sans doute à l'origine de l'engagement féministe de centaines de jeunes femmes. Pendant près de trois ans, elle a été le centre névralgique du féminisme !

En 1975 également, un autre collectif issu des groupes autonomes de femmes décide de fonder une maison d'édition pour publier des textes qui émanent des militantes ou de la scène culturelle. Inspirées par la problématique du travail gratuit des femmes, ces militantes décident de se nommer **les éditions du remue-ménage**, sans majuscules, pour bien montrer que l'entreprise est collective et leur logo est un dessin qui représente des femmes occupées aux mille tâches du travail domestique. Dès 1976, un premier ouvrage est publié, *Môman travaille pas, a trop d'ouvrage*, rapidement suivi par d'autres pièces de théâtre. Dès 1978, le premier *Agenda des femmes* est publié ; c'est un excellent support pour des textes de réflexion.

De nouvelles initiatives

En 1975 toujours, d'autres militantes ouvrent le **Centre de santé des femmes du Plateau Mont-Royal**, le tout premier des centres de santé qui vont apparaître un peu partout au Québec. Elles considèrent que les femmes doivent prendre en main leur santé et elles critiquent la manière dont elles sont traitées par la médecine et les médecins. Des études démontrent que la décision de procéder à des interventions chirurgicales sur les femmes est très rapide. Un slogan de l'époque proclame :

« Il n'y a pas d'utérus assez bon pour être conservé ; il n'y a pas de testicules assez malades pour être enlevés. »

D'autres études établissent que les médecins prescrivent beaucoup trop de médicaments aux femmes. Ces militantes dénoncent la médicalisation de la grossesse, de l'accouchement, de la ménopause. Elles proposent des techniques d'auto-examen des organes sexuels, avec un spéculum et un miroir. Pour les participantes, l'effet psychologique est très fort.

Des groupes se forment autour de sages-femmes, autour des premières maisons de naissance. On expérimente de nouvelles formes de solidarité féminine avec le groupe **Naissance-Renaissance**, qui apparaît en 1977. La longue bataille pour permettre aux sages-femmes d'exercer leur profession vient de commencer. Une autre lutte qui sera interminable, après celle de l'avortement, après celle des garderies.

Des centaines de femmes qui avaient « choisi » de rester à la maison pour s'occuper de leurs enfants souhaitent entrer sur le marché du travail. La pratique de la contraception leur a permis d'avoir moins d'enfants. Pourront-elles réintégrer le marché du travail ? Reprendre leurs études ? C'est alors qu'on se met à parler de **Nouveau départ**. On lance ce programme au Y des femmes en 1976. Il s'agit d'outiller toute une génération de femmes qui avaient été préparées à être exclusivement des mères et des épouses et qui se trouvent soudain pratiquement dans l'obligation d'être autonomes, économiquement et psychologiquement. Dans les cégeps, se sont implantés progressivement des dizaines de programmes Nouveau départ, animés par les responsables de l'éducation des adultes. On prévoit même des programmes de cégep destinés à ces femmes. Ils se nomment symboliquement *Repartir !* ou *C'est à mon tour !*

Dans les groupes communautaires, on réalise que la très grande majorité des travailleuses ne sont pas syndiquées. Qui va s'occuper des vendeuses ? des *waitress* ? des travailleuses domestiques ? des opératrices de Keypunch[1] ? des ouvrières du secteur de la confection ? En 1976, trois militantes mettent alors en place **Au bas de l'échelle**, organisme qui vise à défendre les droits des travailleuses non syndiquées, car le travail rémunéré n'est pas toujours libérateur ! Plusieurs ne gagnent même pas le salaire minimum et sont obligées de faire des heures supplémentaires. Ce regroupement milite avant tout pour modifier certains articles du Code du travail et faire prendre conscience aux femmes, souvent des immigrantes, de leurs droits.

Les responsables des maisons d'hébergement et des CALACS, réalisant que les femmes n'ont pas été socialisées à se défendre avec leurs poings, développent des techniques d'autodéfense pour les femmes, le Wen-do. Ces cours deviennent fort populaires après qu'une émission de Radio-Canada ait présenté un groupe de femmes qui réussissent, au terme de leur formation, à briser une planche avec la seule force de leurs poignets et de leur volonté !

Les lesbiennes

De leur côté, des lesbiennes, préoccupées par la violence des hommes, deviennent beaucoup plus militantes et affirment :

« Le féminisme c'est la théorie. Le lesbianisme, c'est la pratique. »

Elles ne comprennent pas les femmes qui acceptent de demeurer avec des hommes, d'avoir des maris, des amants, des conjoints. Elles le leur disent sans ménagement :

« Vous autres, les hétéros... »

Quelques jeunes femmes prennent la décision de devenir lesbiennes et se déclarent « lesbiennes politiques », seule manière de vivre, selon elles, dans un monde patriarcal qui opprime les femmes. À la fin des années 1970, les lesbiennes sont nombreuses, parfois même majoritaires dans plusieurs groupes autonomes de femmes. Quelques-unes provoquent des scissions au sein de ces groupes à cause de leurs idées radicales sur la violence patriarcale. Ce courant, pourtant minoritaire, a beaucoup frappé les imaginations. Une hétérosexuelle s'exprime :

---

1. Les premiers ordinateurs devaient être nourris de milliers de cartes perforées. Les opératrices Keypunch étaient chargées de ce travail minutieux, fastidieux et sous-payé.

« On devrait se parler, se dire entre nous nos rancoeurs, nos repro-
ches, notre vécu à tous les niveaux, nos difficultés justement, d'abord
en tant que féministes, ensuite en tant que lesbiennes ou hétéro. »
Elle ajoute :
« Là, on pourrait voir ce qui nous empêche d'avancer harmonieu-
sement ensemble, on pourrait cerner notre malaise. »
Ce malaise va mettre beaucoup de temps à disparaître.

Le Regroupement des femmes québécoises

En 1976, on célèbre avec éclat le premier anniversaire de la Librairie
des femmes, plaque tournante des activités féministes à Montréal.
Se retrouvent à cette fête de nombreuses militantes du Parti québécois
qui ont quitté leurs comités de condition féminine dans les comtés.
En effet, le chef du Parti québécois, René Lévesque, a utilisé son droit
de veto pour affirmer qu'il ne se sent pas lié par la décision du congrès
de placer le droit à l'avortement libre et gratuit dans le programme
du parti. La colère est grande parmi les féministes nationalistes.
L'énergie qui se dégage de cette soirée incite trois femmes à rassembler toutes les forces féministes alors dispersées dans une grande
variété de petits groupes. Ce nouveau regroupement prend le nom du
Regroupement des femmes québécoises.

« Nous voulons l'indépendance, mais nous voulons qu'elle se fasse
avec nous et pour nous. Autrement dit, il faudrait que les femmes
arrêtent, *avant* l'indépendance, de coller des timbres pour le PQ si
elles ne veulent pas, *après* l'indépendance, se retrouver envoyées à
leurs casseroles », déclarent les fondatrices.

À son congrès de fondation en 1978, le Regroupement des femmes
québécoises inscrit la violence faite aux femmes au cœur de son
action. Rapidement, les adhésions se multiplient. Le Regroupement
participe, avec d'autres militantes, à l'organisation de manifestations
qui ont fait les manchettes.

L'affaire Dalila Maschino éclate en avril 1978. Une Algérienne est
enlevée par sa famille, qui ne reconnaît pas son mariage à Montréal et
la ramène de force en Algérie. Cette affaire lance sur la place publique
les droits des femmes immigrantes, et un vaste mouvement d'appui à
Dalila Maschino rallie les féministes, qui manifestent dans la rue.

La projection du film d'Anne-Claire Poirier sur le viol, *Mourir à tue-tête*, devient le prélude à un vaste débat de société. Chaque projection provoque un happening! Le Regroupement des femmes québécoises organise un tribunal populaire sur le viol en juin 1979. Cet événement réunit 750 femmes. Le tribunal populaire aura un effet considérable. Les membres du tribunal ne sont pas des « extrémistes » : il compte une thérapeute, une omnipraticienne, une juriste, une ursuline théologienne et une avocate, mais des témoignages spontanés surgissent de la salle, avec des injures, des larmes, créant beaucoup d'émotion. Après le tribunal populaire, on peut dire que la question de la violence masculine contre les femmes occupe une place centrale sur la scène féministe, ce qui a sans doute joué un rôle pour créer l'impression que les féministes détestent les hommes.

Les revues féministes

Ce panorama d'initiatives variées serait toutefois incomplet sans rappeler le déploiement de la presse féministe durant la même période. Se joignent donc au *Bulletin de la FFQ*, qui paraît toujours et prend le nom de *La Petite Presse* en 1980, plusieurs revues :

Communiqu'elles, à partir de 1974, est publié en français et en anglais par le Centre des femmes de Montréal jusqu'en 1991.

Les Têtes de pioche paraît dix fois par année de mars 1976 à juin 1979 : il est dû à un collectif dont les membres proviennent des

En mars 1976, paraît un nouveau magazine: *Les Têtes de pioche*. Produit par des féministes radicales, il paraîtra jusqu'en juin 1979. C'est à travers ce journal que de nouveaux débats féministes seront publicisés : la violence, la publicité sexiste, les lesbiennes, les garderies, le viol, la santé des femmes, etc. Par exemple, ce numéro de mai 1977 consacré au travail présente la réflexion des féministes radicales sur la maternité et le travail domestique.

milieux littéraires et des groupes populaires. Elles expliquent ainsi le titre de leur journal : « LES pour notre solidarité. TÊTES, parce que, dans cette affaire, le cœur ne suffit pas. PIOCHE pour notre entêtement. » Ce journal est au cœur de l'activité et de la réflexion féministe durant trois ans. Toutefois, comme *Québécoises deboutte!* cinq ans plus tôt, il ne résiste pas aux difficultés de porter un projet à bout de bras sans subventions, et aux discussions idéologiques de ses rédactrices.

L'Autre Parole apparaît en 1976 également. Ce petit journal, qui existe toujours en 2008, rassemble les féministes chrétiennes qui se mobilisent pour critiquer l'Église et tenter de féminiser la théologie et la liturgie. Il rejoint des théologiennes, des religieuses, des animatrices de pastorale, car la réflexion féministe pénètre désormais dans tous les milieux. La présence de ces féministes chrétiennes étonne beaucoup les autres féministes, pour qui l'Église est une institution misogyne. Et pourtant, leur action rejoint beaucoup de femmes.

Pluri-elles, qui paraît en 1977, propose des textes qui font avancer la réflexion des féministes radicales, surtout sur les questions du contrôle du corps des femmes. Cette publication artisanale fait rapidement place à *Des luttes et des rires de femmes,* revue beaucoup plus professionnelle, publiée par un collectif qui a réussi à se faire sub-

Plusieurs revues féministes sont publiées après la fin des *Têtes de pioche. Pluri-elles* (1978-1979) devient *Des luttes et des rires de femmes* (1979-1982). On trouve aussi *Communiqu'elles,* du Centre des femmes de Montréal et *L'Autre Parole,* revue des féministes chrétiennes.

ventionner. La revue paraît de 1977 à 1981 et présente toujours des dossiers très documentés. Comme les revues qui l'ont précédée, elle cesse de paraître à cause de discussions idéologiques.

La politique d'ensemble du gouvernement québécois

Enfin, il ne faut pas oublier l'action du Conseil du statut de la femme qui est à l'œuvre depuis 1973. La première présidente, Laurette Champigny-Robillard, a vu à mettre en place les différents services du CSF : information, recherche, animation. Surtout, elle a fait préparer, pour un comité interministériel, les différentes recherches qui ont permis de présenter en septembre 1978, un document considérable : *Pour les Québécoises, égalité et indépendance,* qui est à l'origine de la politique d'ensemble du gouvernement québécois sur les dossiers qui concernent les femmes. Cent seize groupes de femmes ont été mis à contribution à travers le Québec pour le préparer. Pour la première fois, des données officielles viennent étayer les divers aspects de la situation des Québécoises pour l'accès à l'éducation, à l'égalité salariale, aux services de santé.

Son mandat étant terminé, la présidente cède la place à Claire Bonenfant à la fin de 1978. Cette dernière voit alors à la publication,

En 1979, la première ministre à la Condition féminine, Lise Payette, dévoile la politique d'ensemble du gouvernement québécois, au titre-choc. Ce document devient rapidement la base des revendications des femmes. Il a été préparé par la première présidente du Conseil du statut de la femme, Laurette Champigny-Robillard.

à partir de 1979, de *La Gazette des femmes*. Comme ce magazine mensuel est d'abord distribué gratuitement, il a un tirage impressionnant de 50 000 exemplaires.

LE PREMIER NUMÉRO DE *LA GAZETTE DES FEMMES*
En 1979, le Conseil du statut de la femme lance son magazine, *La Gazette des femmes*. Ce titre est repris d'un des premiers magazines des militantes des droits des femmes en France au XIXe siècle. D'abord distribué gratuitement, le magazine est vendu en kiosque et par abonnement depuis 1994 et continue d'avoir un public fidèle.

* * *

À la fin des années 1970, presque toutes les Québécoises ont été touchées d'une manière ou d'une autre par les féministes ou par le mouvement des femmes ; par le féminisme réformiste, qui souhaite améliorer la société, ou par le féminisme radical, qui ambitionne de transformer la société, alors que le mouvement des femmes, beaucoup moins politique, est à l'œuvre dans une multitude de services destinés aux femmes.

Toutefois, cette période est également occupée par une autre question passionnante suscitée par la victoire d'un parti souverainiste en 1976, le Parti québécois. Depuis 1969, de nombreuses féministes, surtout celles qui se situent dans la mouvance radicale, relient les deux questions : la libération des femmes et la libération du Québec. On se souvient que c'était le mot d'ordre du Front de libération des femmes en 1969.

Les féministes ne sont pas unanimes sur la question nationale, loin de là. Car l'option souverainiste ne convient pas à un grand nombre de féministes réformistes. Depuis le milieu des années 1960, ces féministes proclament leur neutralité politique. Mais toutes les féministes sont des femmes engagées qui comprennent l'importance de participer aux débats politiques. **Pourront-elles rester à l'écart des débats soulevés par le référendum de 1980 ?**

Le référendum de 1980 divise les féministes

Les féministes et la politique

En 1980, il n'est question que du référendum. Les féministes se sentent-elles interpellées? Avant de répondre à cette question, il faut examiner brièvement la situation des femmes en politique. On l'a vu, les femmes ont obtenu le droit de vote en 1940 au Québec, mais c'est en 1961 seulement qu'une femme a été élue à Québec, pour le Parti libéral: Claire Kirkland. Elle a occupé divers ministères jusqu'en 1973. Cette année-là, Lise Bacon est élue, également pour le Parti libéral. À l'élection de 1976, qui porte le Parti québécois au pouvoir, cinq femmes sont élues. Pour le Parti québécois, Lise Payette, Louise Cuerrier, Denise Leblanc et Jocelyne Ouellet; pour le Parti libéral,

La journaliste Lise Payette est élue pour le Parti québécois en 1976. Elle est fortement identifiée à la lutte des femmes à cause de ses émissions de télévision et de radio. Habituée des micros, elle est une porte-parole déterminée des revendications des femmes au sein d'un cabinet qui n'en demande pas tant.

Thérèse Lavoie-Roux. Elle est rejointe en 1979 par Solange Chaput-Rolland. À Ottawa, il a fallu attendre plus d'un demi-siècle pour que des femmes soient élues à la Chambre des communes. Trois Québécoises ont été élues pour le Parti libéral en 1972 : Albanie Morin, Monique Bégin et Jeanne Sauvé.

Plusieurs de ces femmes ont, chacune à sa manière, exprimé leurs sympathies féministes. Cela était particulièrement évident dans le cas de Claire Kirkland, qui a piloté le dossier de la loi 16 en 1964 et celui du Conseil du statut de la femme en 1970 ; de Lise Bacon, qui a négocié les conditions de l'intégration de la Fédération des femmes libérales au Parti libéral et soutenu le premier plan gouvernemental de garderies ; de Monique Bégin, l'une des fondatrices de la Fédération des Femmes du Québec, qui a été par la suite secrétaire de la Commission Bird ; de Jeanne Sauvé, qui a défendu le droit au travail des femmes ; de Solange Chaput-Rolland, qui a milité dans la Voix des femmes, et de Lise Payette, qui a soutenu à de nombreuses reprises des dossiers féministes à son émission *Place aux femmes*, notamment celui du droit à l'avortement, et qui, en 1980, est la ministre responsable de la Condition féminine à Québec.

Depuis leur fondation, la Fédération des femmes du Québec et l'AFÉAS affichent leur neutralité politique alors que la plupart des groupes autonomes de femmes défendent ouvertement des positions souverainistes. En 1980, deux militantes tentent de former un comité à la FFQ pour étudier la question référendaire, mais la présidente, Sheila Finestone, rejette cette proposition en invoquant le caractère non partisan de la Fédération. Ce n'est toutefois un secret pour personne : de nombreuses membres de la Fédération sont d'allégeance libérale. Du côté de l'AFÉAS, en revanche, la neutralité politique a toujours été rigoureusement observée.

Rappelons encore une fois que le premier slogan du Front de libération des femmes du Québec était « Pas de libération du Québec sans libération des femmes ; pas de libération des femmes sans libération du Québec ». Quant au Regroupement des femmes québécoises, apparu en 1978, il était ouvertement souverainiste. Il y avait donc des féministes dans les deux camps qui se sont constitués au printemps de 1980 : le camp du OUI et le camp du NON. Lorsque la campagne référendaire est lancée, en janvier 1980, l'enthousiasme est considérable du côté des souverainistes. Ils ont gagné le débat à l'Assemblée nationale. Lise Payette a terminé son discours en déclarant :

« Pour ma part, après avoir donné des enfants à ce pays, je travaille de toutes mes forces à donner un pays à ces enfants ! »

Au contraire, les troupes du camp du NON sont plutôt inquiètes. Les responsables cherchent en vain une stratégie efficace.

L'affaire des Yvettes

Cette année-là, le 8 mars, Journée internationale des femmes, Lise Payette dénonce, à l'Assemblée nationale, les stéréotypes sexuels qui se retrouvent encore dans les manuels scolaires :

> Guy pratique les sports et souhaite remporter beaucoup de trophées. Yvette tranche le pain, aide à servir le poulet rôti, balaye le tapis. Yvette est une petite fille bien obligeante.

Elle souhaite libérer les Québécoises de ces stéréotypes qui enferment les femmes dans un modèle de soumission. Le lendemain, lors d'une rencontre partisane, elle dénonce à nouveau les stéréotypes dans les manuels scolaires, qui incitent les femmes à demeurer soumises et conformes au modèle de la ménagère.

« Il faut avoir le courage de sortir de notre prison de peur », dit-elle.

Elle ajoute que le leader du camp du NON, le chef du Parti libéral du Québec, Claude Ryan souhaite que les femmes demeurent des Yvettes :

« D'ailleurs, il est marié à une Yvette. »

L'éditorialiste du *Devoir*, Lise Bissonnette, réagit deux jours plus tard en critiquant avec virulence le fait que Lise Payette attaque un chef politique en visant sa femme :

« Lier une femme à la personnalité de son mari comme cela ne se fait plus depuis les balbutiements du féminisme, c'est aller au fond du sexisme. »

Elle insiste :

« À travers Madeleine Ryan ce n'est pas Claude Ryan qu'elle insulte mais toutes ces femmes qu'elle est chargée de défendre, auxquelles elle doit apporter le plus possible d'égalité. »

Effectivement, les femmes qui travaillent pour le camp du NON se sont senties insultées par les propos de Lise Payette, comme si elles n'étaient pas capables de réfléchir par elles-mêmes... La ministre Lise Payette s'est évidemment excusée publiquement de sa maladresse :

« Si j'ai pu blesser, par cette remarque, qui que ce soit y compris l'épouse du chef de l'opposition, je m'en excuse publiquement parce que telle n'était pas mon intention. Mon intention était de continuer ce que je fais depuis vingt ans et d'aider les femmes du Québec à sortir de ces stéréotypes dont nous sommes affublées. »

C'est alors que des militantes du Parti libéral ont l'idée d'exploiter cette controverse et d'organiser un « Brunch des Yvettes ». Elles le font en dépit des recommandations des stratèges du parti qui trouvent qu'il est dangereux d'utiliser une erreur politique. Un stratège politique soutient :

« Ça peut avoir un effet boomerang parce qu'on ne parle que de ça ; c'est comme dire qu'on n'a rien d'autre à dire. »

En 24 heures, les militantes libérales réussissent à rassembler plus de 2000 femmes qui viennent au « Brunch des Yvettes » à Québec pour écouter des oratrices : Thérèse Casgrain, la célèbre féministe, Thérèse Lavoie-Roux, députée libérale, Monique Bégin, ministre de la Santé à Ottawa, Madeleine Ryan, l'épouse du chef de l'opposition, et Solange Chaput-Rolland, députée libérale. Toutes font des discours où elles expliquent pourquoi elles vont voter *non*, pourquoi elles veulent rester dans le Canada. Madeleine Ryan déclare qu'elle souhaite léguer à ses enfants le Canada avec tous ses morceaux. Elle ajoute :

« Les péquistes cherchent à se servir des femmes pour faire croire que leur sort serait meilleur dans un Québec indépendant alors que les deux questions sont sans rapport. »

En réalité, cette déclaration est pratiquement la seule où il est question de la situation des femmes. Tous les discours du camp du NON sont absolument muets sur la situation des femmes alors que, dans le camp du OUI, on associe souvent l'autonomie des femmes et l'autonomie du Québec.

Par la suite, les militantes du Parti libéral, devant le succès de leur brunch, organisent de nombreux rassemblements d'Yvettes. À Montréal, plus de 15 000 Yvettes se rassemblent au Forum. L'organisation de cette manifestation est un véritable exploit, pour arracher

RASSEMBLEMENT D'YVETTES À SHERBROOKE
À l'instigation de militantes libérales, des femmes se proclament « Yvettes » en 1980, au moment du premier référendum sur la souveraineté du Québec. Elles protestent ainsi contre la déclaration de Lise Payette, qui a associé les partisanes du NON à la petite Yvette des manuels scolaires.

les autorisations du parti, modifier le lieu du rassemblement, vendre les billets, noliser des autobus, trouver des oratrices, faire imprimer des macarons, obtenir des œillets rouges. Ce sont les femmes du Parti libéral qui ont tout organisé. Au comité du NON, c'est Sheila Finestone, présidente de la Fédération des femmes du Québec, qui finit par obtenir l'autorisation de tenir le rassemblement. Où est passée sa neutralité politique ?

De nombreuses femmes participent avec enthousiasme à tous ces rassemblements et proclament fièrement qu'elles sont des Yvettes. Louise Robic, la grande responsable de cette manifestation, tient beaucoup à ce qu'il ne soit jamais question de Lise Payette et de ses propos dans les discours. L'objectif est de permettre aux partisanes du NON de manifester leur option politique. Toutes les oratrices sont des féministes, de Thérèse Casrain à Monique Bégin. Leurs discours *ne mentionnent jamais* les débats féministes. Lorsqu'Yvette Rousseau, ancienne présidente de la FFQ, prend la parole, elle est acclamée... à cause de son prénom.

Quelles sont les motivations de ces « Yvettes » ?

« Ils ont voulu rire de nous autres. On va leur montrer qu'on est capables de s'organiser.

— Il fallait défendre Madeleine Ryan qui avait été attaquée.

— On voulait leur montrer qu'on est capables. On est pas mal fortes, nous les femmes.

— C'était une façon de s'engager.

— Cela nous a permis d'avoir le courage de dire qu'on était pour le NON.

— Pour moi, c'était une insulte à mon intelligence et à mon jugement. Parce que je n'étais pas d'accord avec le PQ, j'étais automatiquement une niaiseuse. »

Une semaine plus tard, un groupe de souverainistes, hommes et femmes, se rassemblent à Montréal, pour souligner le 40e anniversaire du droit de vote des femmes. Ils sont plus de 20 000. Les discours soulignent l'importance du droit de vote pour les femmes, et rattachent comme de raison la question de l'indépendance du Québec et celle de l'autonomie des femmes : un Québec souverain aura besoin de ses féministes.

Autour du référendum

Au Regroupement des femmes québécoises, les militantes sont divisées. Elles sont profondément déçues de l'attitude du Parti québécois face aux revendications des féministes et, après des discussions déchirantes, lancent la consigne suivante : sur le bulletin de vote, les militantes ne voteront ni *oui* ni *non*, mais écriront le mot *FEMMES*. Cette suggestion est loin de faire l'unanimité ! Finalement, elle ne sera suivie que par quelques-unes. Le Regroupement des femmes québécoises ne se relèvera pas de cet échec.

Un débat médiatique a accompagné tous ces événements. Les journalistes ont été nombreux à affirmer que les Yvettes étaient surtout des femmes au foyer qui protestaient contre le féminisme soi-disant exagéré de Lise Payette et de quelques féministes « doctrinaires ». D'autres ont voulu opposer les « féministes » et les « vraies femmes », celles qui travaillent à l'extérieur et celles qui restent à la maison. L'été qui a suivi, un reportage de Radio-Canada a insisté lourdement sur cette division entre les femmes au foyer et les féministes. Pourtant, les nombreuses analyses qui ont été faites par la suite ont bien montré que le phénomène des Yvettes était étroitement relié au débat référendaire et qu'il a permis aux femmes qui ne s'étaient jamais engagées en politique de manifester publiquement leur opinion, et elles l'ont d'ailleurs fait de manière tellement efficace qu'elles ont contribué à la victoire du NON, le 18 mai 1980. En effet, près de 58 % des Québécois et Québécoises ont répondu *non* à la question référendaire. En réalité, l'opinion des femmes reflétait tout simplement celle de la majorité de la population.

Les souverainistes en ont été fort contrariés et les femmes souverainistes encore davantage, tant le mouvement des Yvettes leur semblait incompréhensible. Paradoxalement, les fédéralistes n'ont jamais admis publiquement que la campagne des Yvettes a été fort utile pour leur assurer la victoire. Cet épisode des Yvettes est resté comme un os à travers la gorge, un événement difficile à avaler, pour les deux camps. C'était pourtant simple : les femmes avaient pris l'initiative de s'engager ouvertement en politique. Les élites traditionnelles, les analystes vont mettre beaucoup de temps à le comprendre vraiment. Ils s'entêteront à croire que les Yvettes représentaient le refus du féminisme. Et pourtant...

Les féministes n'ont jamais été si nombreuses, si affairées ; elles sont cependant de moins en moins unanimes et leurs analyses se diversifient en fonction de leurs objectifs. **La division causée par le référendum va-t-elle nuire au féminisme ?**

La grande ébullition féministe

1969 : Création du Front de libération des femmes du Québec
1971 : Publication de *Québécoises deboutte!*
1972 : Création du Centre des femmes
1972 : Début du projet *En tant que femmes* à l'Office national du film
1973 : Création du Conseil du statut de la femme
1974 : Création du Comité de lutte pour la contraception et l'avortement libre et gratuit
1975 : Année internationale de la femme
1976 : Publication de *L'Euguélionne* de Louky Bersianik
1976 : Exposition de *La Chambre nuptiale* de Francine Larivée
1976 : Publication par l'AFÉAS du *Rapport sur les femmes collaboratrices*
1976 : Publication des *Têtes de pioche*
1977 : Publication de *Des luttes et des rires de femmes* :
1978 : Publication de la politique d'ensemble *Pour les Québécoises, égalité et indépendance*
1978 : Création du Regroupement des femmes québécoises
1978 : Présentation de la pièce de théâtre *Les fées ont soif* de Denise Boucher au TNM
1978 : Sortie du film *Mourir à tue-tête* d'Anne-Claire Poirier et tenue du tribunal populaire sur le viol
1979 : Lancement de *La Gazette des femmes*
1980 : Référendum sur la souveraineté du Québec

Cinquième partie

Au travail pour changer le monde

1981-2005

27

Le féminisme se transforme

Le 2 novembre 1981, à l'âge de 85 ans, Thérèse Casgrain avise ses proches qu'elle doit se coucher de bonne heure : le lendemain elle veut se lever tôt pour aller manifester pour la cause des femmes des Premières Nations à Baie-Comeau. Malheureusement, elle ne s'est jamais réveillée : la mort est venue la chercher durant son sommeil. Cette infatigable militante a travaillé pour les femmes durant plus de six décennies.

Avec elle disparaît la dernière représentante du groupe de féministes qui ont fait leur entrée sur la scène québécoise au début du xxᵉ siècle. On ne doit pas oublier ses paroles après la victoire du droit de vote en 1940 : « Notre véritable travail ne fait que commencer. » Effectivement, les féministes se sont mises au travail, d'abord individuellement, durant une génération, puis collectivement, à partir de 1966.

Or, en 15 ans, le mouvement féministe s'est profondément transformé. Les années 1970 ont tout bouleversé. Les féministes radicales ont considérablement modifié la liste des revendications des femmes. Après avoir réclamé le droit à l'égalité, les féministes ont en effet commencé à dénoncer les abus de la société patriarcale. De nouveaux objectifs ont rapidement mobilisé l'attention et les préoccupations des féministes. Les femmes ont pris la parole, elles ont voulu contrôler leur corps, elles ont dénoncé la violence sous toutes ses formes. Les militantes ont découvert la face cachée de la discrimination dans le monde du travail. Elles se sont intéressées davantage à la pauvreté, à la situation de toutes les femmes. Pourront-elles enfin participer au pouvoir ? Les quatre chapitres qui suivent décrivent les principaux visages de la transformation qui s'effectue, au sein du féminisme, durant les années 1980.

Bénévoles et salariées

Pendant plus de 60 ans, le mouvement féministe s'était basé sur l'engagement bénévole de quelques femmes. Désormais, grâce aux multiples programmes de subvention que les féministes ont réussi à obtenir, et qui vont se développer à partir des années 1980, une grande variété de services sont progressivement mis en place. Les femmes de tous les milieux sont désormais touchées.

Une « expertise » féministe est maintenant à l'œuvre ; sur le terrain, dans les groupes de femmes, sur le plan administratif, dans les services du gouvernement et sur le plan théorique, dans les universités. Et, surtout, sur le plan politique, dans les associations féministes, dans les syndicats et les partis. Les féministes ne sont pas unanimes dans leurs analyses, mais elles sont conscientes que la besogne à accomplir est colossale. En 1925, le premier ministre Alexandre Taschereau disait :

« Si on accorde le vote aux femmes, il faudra accorder la pension aux mères ! »

Les féministes lui ont donné raison. Depuis qu'elles ont le droit de vote, depuis qu'elles ont identifié les multiples problèmes qui les affectent, les femmes sont en mesure de poser leurs exigences au gouvernement. Changer les lois, c'est bien beau, mais il reste énormément de travail à faire pour transformer les mentalités. Un exemple entre mille : la première fois qu'il a été question de la violence faite aux femmes, à la Chambre des Communes, le 12 mai 1982, les députés ont éclaté de rire ! Et ils ont refusé de présenter des excuses quand les féministes en ont exigé.

À Québec, depuis 1979, le **Secrétariat à la condition féminine** veille aux besoins des femmes. À Ottawa, **Condition féminine Canada** fait de même. Après l'ébullition féministe des années 1970 vient donc la période des chantiers féministes. Cela ne signifie pas que les bénévoles ont disparu du mouvement des femmes. Loin de là ! Que ferait la Fédération des femmes du Québec sans ses membres individuelles qui se pressent par centaines à ses congrès, préparent et étudient les documents d'orientation, militent dans les conseils régionaux ? Que serait l'AFÉAS sans ses 30 000 membres qui se réunissent chaque mois dans leurs cercles respectifs pour discuter des questions qui intéressent les femmes ?

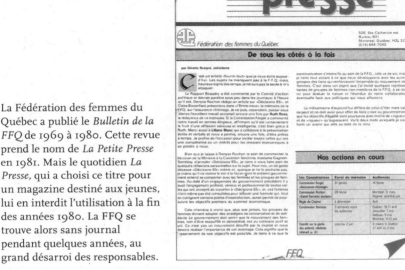

La Fédération des femmes du Québec a publié le *Bulletin de la FFQ* de 1969 à 1980. Cette revue prend le nom de *La Petite Presse* en 1981. Mais le quotidien *La Presse,* qui a choisi ce titre pour un magazine destiné aux jeunes, lui en interdit l'utilisation à la fin des années 1980. La FFQ se trouve alors sans journal pendant quelques années, au grand désarroi des responsables.

Dans chaque groupe de service, des dizaines de bénévoles sont requises pour le fonctionnement quotidien, pour l'accueil dans les maisons d'hébergement et les centres de femmes, pour le service téléphonique 24 heures par jour, sept jours par semaine, dans les centres d'aide contre les agressions sexuelles, pour l'organisation des activités de financement, des journées d'orientation, pour la rédaction des mémoires, des rapports, des articles de toute sorte. Car les subventions obtenues ne permettent de rémunérer que quelques femmes, le plus souvent à des salaires dérisoires. Au moment de la grande ébullition féministe des années 1970, les militantes voulaient se passer de structures. Cela n'est plus possible après 1980. Désormais, pour chaque groupe de femmes, il faut une charte, un conseil d'administration, une coordonnatrice, des procès-verbaux. Les féministes s'insèrent donc dans la société civile autour de services variés. Plusieurs femmes se retrouvent même à travailler pour la cause des femmes sans connaître l'essentiel du *Féminisme 101*.

La recherche et les études féministes

En 1979, la nouvelle présidente du Conseil du statut de la femme (CSF), Claire Bonenfant, met en place des bureaux régionaux, qui auront pour mission de coordonner les actions des groupes de femmes, d'être à l'écoute des demandes des femmes de la base, de diffuser les principaux résultats de la recherche féministe. Grâce à ces bureaux régionaux, le féminisme pénètre dans toutes les régions du Québec. Le CSF joue à ce moment-là un rôle essentiel dans la diffusion des idées féministes. Sa revue, *La Gazette des femmes,* distribuée gratuitement, rejoint un large public. Les travaux de recherche qu'il commande et publie sont dévorés avec empressement par les militantes.

Le CSF n'est pas le seul à produire des documents de recherche sur la réalité des femmes. Dans les universités, dans les collèges, des cours sur la condition des femmes sont organisés depuis le milieu des années 1970 : en littérature, sociologie, théologie, histoire, service social, anthropologie, science politique.

Dans l'exaltation de l'ébullition féministe des années 1970, ces cours étaient fort populaires. Les professeures comprennent rapidement que ces initiatives, le plus souvent individuelles, doivent être consolidées pour ne pas risquer de disparaître. Des universitaires américaines ont créé des programmes d'études sur les femmes, les Women's Studies. C'est une initiative semblable que les professeures québécoises mettent en place : elles fondent des centres d'enseignement et de recherche féministes. On trouve notamment le **Groupe interdisciplinaire d'enseignement et de recherche féministes** de l'Université du Québec à Montréal (GIERF, 1976), l'**Institut Simone-de-Beauvoir** de l'Université Concordia (1978), le **Groupe de recherche multidisciplinaire féministe** de l'Université Laval (GREMF, 1983). Bientôt, ces groupes vont publier les résultats de leurs recherches, publiciser des annuaires de cours, créer des revues, organiser des colloques.

Livres, articles, rapports commencent à paraître régulièrement. Les Éditions du remue-ménage ont du pain sur la planche ! Toutes ces recherches réussissent-elles à modifier le savoir ? C'est loin d'être sûr, car les travaux produits ne sortent guère des milieux féministes. En 1981, une revue savante publie un numéro spécial de sur les femmes.

«As-tu reçu le numéro spécial sur *Les femmes dans la sociologie*? demande une professeure à un collègue.

— Oui, je l'ai donné à ma femme», répond-il, comme si ça ne le concernait pas.

Par ailleurs, le contact s'établit entre les groupes de femmes et les chercheuses universitaires. En 1982, un protocole d'entente est mis en place à Montréal entre **Relais-femmes** et l'UQAM, permettant aux groupes de faire appel à l'université pour effectuer les recherches indispensables à leurs actions et à leurs revendications.

Les grands regroupements

Pendant ce temps, au sein des groupes de femmes devenus si nombreux, on décide de mettre en commun les expériences et concerter les actions, organiser des rencontres. La liste de tous ces regroupements nationaux est vraiment impressionnante.

Par exemple, le **Regroupement des centres d'aide et de lutte contre les agressions à caractère sexuel (CALACS)** compte une quarantaine de groupes. Une centaine de maisons d'hébergement se sont regroupées dans deux grandes associations : le **Regroupement provincial des maisons d'hébergement et de transition pour femmes victimes de violence conjugale** (1979) et la **Fédération des ressources d'hébergement pour femmes violentées et en difficulté** (1986). Les deux associations collaborent volontiers pour échanger leurs méthodes de travail et entreprendre des actions communes auprès des services de police, des services de santé, des services sociaux.

Les centres de santé des femmes du Québec se regroupent officiellement, en 1985, en un **Réseau québécois d'action pour la santé des femmes**. Son influence sur les pratiques médicales commence à se faire sentir. Mais le travail à accomplir est immense. Pourquoi les femmes sont-elles tenues responsables de la santé de leurs proches ? Pourquoi prescrit-on tellement de médicaments aux femmes ? Pourquoi tant de femmes font-elles des dépressions ? Un important *Essai sur la santé des femmes,* publié par le CSF, devient la bible de ces centres de santé.

Enfin, les centres de femmes, ces maisons qui accueillent les femmes pour des activités de ressourcement, de thérapie, de formation, de prévention, ont choisi une manière originale de se regrouper, en constituant en 1985 l'**R des centres de femmes du Québec**. « R pour Regroupement, R pour Réseau, R pour ère : l'époque des centres de femmes, R pour aire : l'espace à prendre, R pour air » : « Donnez-moi de l'oxygène ! » comme le chante si bien Diane Dufresne. Tout un programme pour ces 85 centres !

De même, dans les multiples lieux où elles s'affairent à faciliter l'accès au marché du travail aux femmes, les militantes s'associent pour créer le **Conseil d'intervention pour l'accès des femmes au travail** (CIAFT) en 1984.

Les féministes peuvent désormais se concerter plus facilement, même si elles ne sont pas unanimes dans leurs analyses. En 1986, soit peu après la mise en place de tous ces regroupements, une étude du CSF dénombre 473 groupes de femmes au Québec. Et encore : ce dénombrement est incomplet. Oui, les féministes sont très occupées. Elles protestent souvent contre les décisions du gouvernement et se concertent pour réagir collectivement.

La FFQ et l'AFÉAS se trouvent à l'origine du **Groupe des 13**, mis sur pied en 1986 : les 13 principaux regroupements de groupes de femmes se donnent ainsi un lieu de concertation pour réagir aux politiques gouvernementales ou à toute action urgente suscitée par l'actualité. Des tables de concertation sont progressivement mises en place dans chaque région du Québec.

On dirait vraiment que le féminisme a influencé toute la société. C'est à cause de l'existence de ces nombreux groupes et regroupements[1] que certaines personnes ont commencé à parler de féminisme d'État, de féminisme institutionnel. Signe indiscutable que les militantes travaillent volontiers ensemble, la Journée internationale des femmes, le 8 mars, est désormais soulignée dans tous les milieux. **Avec tant de chantiers en activité, quelles seront les priorités des féministes ?**

---

1. Il existe plusieurs autres regroupements : des familles monoparentales, des sages-femmes, etc.

28

De nouveaux objectifs pour les féministes

Après la grande ébullition des années 1970, le mouvement féministe découvre donc de nouveaux objectifs. Au même moment, de nouvelles partenaires apparaissent sur la scène féministe.

Les grandes associations féministes

En réalité, les grandes associations féministes sont plus nécessaires que jamais. À la Fédération des femmes du Québec, on poursuit le travail. De nouvelles questions sont à l'ordre du jour, la plupart empruntées aux analyses des féministes radicales : l'avortement, la santé des femmes, la violence contre les femmes, la pornographie, le travail des femmes.

On réfléchit à la nécessaire mise à jour des structures de l'organisation pour s'ajuster à la fin du xxᵉ siècle. Les associations membres ne ressemblent plus aux associations des années 1960. Depuis 1974, la FFQ a désormais des employées. Il faut améliorer les liens formels entre les nouveaux groupes de femmes et la Fédération. Cela lui permet de renouveler progressivement ses effectifs : le nombre d'associations membres augmente irrésistiblement : de 1985 à 1989, il triple et passe de 40 à 111 !

En avril 1986, *Le Devoir* place en première page un long article sur les REAL Women[1] de la région de Hull. Les REAL Women (littéralement, les « vraies femmes ») s'opposent à l'avortement, aux garderies, à la légalisation de l'homosexualité et prônent le retour de la femme

---

1. REAL pour Realistic, Equal, Active for Life.

au foyer. Le mouvement est certes important aux États-Unis, mais il est microscopique au Québec. La couverture médiatique qui lui est accordée éclipse néanmoins un important colloque organisé par la CEQ, *Des outils pour agir ensemble*. Colère chez les militantes.

Dix jours plus tard, tandis que la FFQ célèbre son 20ᵉ anniversaire par un important colloque, *Le Devoir* récidive en accordant beaucoup plus d'importance à un congrès international des Pro-vie qui se tient à Montréal, suscitant à nouveau une vive controverse.

« Cela a été reçu comme un choc. La Fédération doit rester en alerte face à cette nouvelle idéologie radicale de droite », s'indigne la présidente de la FFQ, Ginette Busque.

Le directeur du *Devoir* défend sa position :

« Il s'agit d'une nouvelle tendance, en marge du discours habituel, d'un mouvement qui prend une ampleur considérable au Canada et qui commence à se manifester. »

Les médias semblent vraiment lassés des reportages qui concernent les combats féministes. D'où l'importance symbolique des commémorations du 50ᵉ anniversaire du droit de vote qui aura lieu en 1990. Dès la fin de 1986, les responsables de la FFQ et les animatrices de Relais-femmes mettent en place une vaste organisation qui a pour mandat de souligner cet anniversaire. Nous y reviendrons.

Ceux qui avaient pensé que les membres de la FFQ étaient plus modérées que les féministes radicales des années 1970 doivent déchanter. La FFQ se retrouve au cœur de toutes les coalitions. Claire Bonenfant, présidente du CSF, déclare à la fin de son mandat :

« Quand j'avais le malheur d'ouvrir la bouche en disant que la Fédération des femmes du Québec pensait telle chose, le gouvernement tremblait ! »

À l'AFÉAS, on continue de se préoccuper des besoins des femmes qui restent à la maison : elles constituent la majorité de ses membres. L'AFÉAS lance donc une grande enquête sur la situation des femmes au foyer. Des informations inédites sont mises à jour, sur leur insécurité financière, sur le partage du pouvoir dans les familles, sur le travail concret qu'elles effectuent, sur leur santé. Une femme au foyer confie :

« Moi, je trouve ça fatigant d'être toujours obligée de demander, pour une petite dépense. Surtout si tu as travaillé avant ton mariage. »

Pourquoi le travail au foyer n'est-il jamais reconnu ? L'AFÉAS formule des recommandations pour qu'il soit valorisé autrement que par des paroles pieuses sur la « reine du foyer » : partage du revenu familial, protection de la résidence familiale, partage des régimes de rentes, ajustement des prestations compensatoires dans le cas des divorces. On demande même que les femmes au foyer bénéficient des avantages accordés aux travailleuses. Ceux qui avaient cru, au moment de l'épisode des Yvettes, que le retour à l'avant-scène des femmes au foyer calmerait les ardeurs féministes sont désarçonnés : même les femmes au foyer se mettent à revendiquer ! Lorsque le gouvernement adopte, en 1989, la Loi sur le patrimoine familial, peu de gens se rendent compte que cette loi répond, après un demi-siècle, à une revendication formulée par Marie Gérin-Lajoie en 1929, devant la Commission Dorion : « Il faudrait veiller à ce que le contrat de mariage renferme au moins un minimum d'avantages pour l'épouse. »

Désormais, les responsables de l'AFÉAS ont beaucoup moins de réticence à se proclamer féministes. Mais une partie de ses membres a déserté pour rejoindre l'**Association des femmes collaboratrices**, qu'elle a contribué à fonder à la fin des années 1970. De plus, ses membres commencent à vieillir : la relève tarde à se présenter, car les jeunes femmes de la nouvelle génération sont presque toutes engagées sur le marché du travail et se trouvent aux prises avec la double journée de travail lorsqu'elles sont également mères de famille. Elles ont moins de temps à consacrer à la militance féministe.

Du côté des syndicats

Dans les syndicats, on réalise qu'il faut également concerter les efforts. Certes, chaque centrale syndicale procède à ses actions autonomes qu'il serait trop long de recenser : congrès, colloques, journées d'étude, préparation de rapports, revendications. Après quelques initiatives collectives autour de la fête du 8 mars, la Journée internationale des femmes, l'**Intersyndicale des femmes** est mise sur pied formellement avec l'appui des principales centrales syndicales en 1977. On y étudie les principales questions qui concernent le travail des femmes : le congé de maternité, les garderies, le partage des tâches dans la famille, le harcèlement sexuel au travail, l'accès des femmes aux

Le 8 mars est célébré pour la première fois à Montréal par les militantes du Front de libération des femmes en 1971. Par la suite, la fête a longtemps été organisée par un front commun des comités-femmes des principales centrales syndicales. Voici l'affiche de 1982.

métiers non traditionnels, la discrimination systémique (pas systématique, SYS-TÉ-MI-QUE, celle qui est liée au système social et qui agit par le seul effet des traditions et de la culture). Bientôt, une nouvelle question se profile à l'horizon : pourquoi les emplois occupés majoritairement par les femmes sont-ils presque toujours moins rémunérés que les emplois masculins ?

> Homme demandé pour l'entretien des terrains. Exigences : permis de conduire. Salaire : 16 $ de l'heure.
>
> Secrétaire demandée. Exigences : diplôme collégial en bureautique, maîtrise de l'anglais, du français et du traitement de texte. Salaire : 12 $ de l'heure.

Cette différence ne constitue-t-elle pas une injustice flagrante ? On ne tarde pas à proposer un nouveau concept : l'équité salariale, c'est-à-dire la réévaluation des emplois féminins par rapport aux emplois masculins. Une autre longue bataille se profile à l'horizon.

En 1988, pour la première fois, une femme accède à la présidence d'une grande centrale syndicale : Lorraine Pagé devient présidente de la CEQ, le syndicat qui regroupe la majorité des enseignants et enseignantes. Grande nouveauté : elle ne fait pas mystère de son engagement féministe.

De nouveaux groupes pour rejoindre des femmes différentes

Le 11 novembre 1983, immédiatement après les cérémonies qui marquent le Jour du souvenir, pour honorer les soldats morts au combat, une mystérieuse dame en noir s'avance pour déposer une couronne de fleurs portant l'inscription : « Pour toutes les femmes violées en temps de guerre ».

Dana Zwonok, accompagnée d'un groupe de 40 personnes, femmes, hommes, enfants, répète son geste l'année suivante, pour rendre hommage à « toutes les femmes victimes des guerres ». Le geste est pacifique, respectueux. L'épouse d'un légionnaire, présente à la cérémonie officielle, manifeste le désir de se joindre au groupe les Consœurs du souvenir. Son mari la menace :

« Si tu y vas, j'te tire ! »

Et pourtant, n'est-il pas normal de se souvenir aussi des femmes qui sont frappées par la guerre ?

Ce geste rappelle plusieurs choses. D'abord, le lien qui a toujours existé entre le féminisme et le pacifisme. Également, le sort de toutes les femmes de la planète. Et enfin, la place grandissante des femmes immigrantes dans le mouvement féministe québécois. Seule une femme venue d'un pays marqué par la guerre pouvait avoir eu cette initiative spectaculaire qui a frappé les médias.

En effet, les femmes immigrantes sont de plus en plus nombreuses au Québec. Ce sont elles désormais qui occupent les emplois dans les manufactures de textile. Ce sont elles qui sont aides domestiques ou femmes de ménage. Plusieurs ne parlent pas le français. Certaines sont très scolarisées, mais ne peuvent pas travailler dans leur domaine. Elles viennent de cultures très différentes et pourtant elles ont des problèmes communs. Or, elles sont souvent réticentes à rejoindre les rangs des groupes féministes québécois, notamment parce que les féministes québécoises ont la réputation d'être très radicales, de ne pas valoriser la famille, si importante pour elles. Souvent membres de communautés dont la culture est dominée par les hommes, pour ne pas dire par le machisme, elles éprouvent le besoin de se rassembler entre elles pour s'entraider et explorer les possibilités que leur offre le féminisme. En 1985, on met sur pied le **Centre des femmes immigrantes** à Montréal, et d'autres vont apparaître dans les villes où les immigrantes sont assez nombreuses.

Les lesbiennes, qui ont joué un rôle si important dans les groupes autonomes de femmes et dans les revues féministes durant les années 1970, entament, au début des années 1980, un mouvement vers l'autonomie. Elles se sentent exclues du nouveau féminisme de regroupement. Elles prennent donc la parole collectivement, en tant que lesbiennes. Le 8 mars 1983, pour la première fois, un contingent de lesbiennes participent à une manifestation en tant que telles. Elles défilent avec des boucliers colorés pour montrer qu'elles sont visibles... quand elles baissent leurs boucliers. Deux revues sont lancées en 1982, *Amazones d'hier et lesbiennes d'aujourd'hui*, qui paraît jusqu'en 1990 et *Ça s'attrape!*, qui devient *Treize* en 1984 et continue de paraître aujourd'hui. Les lesbiennes développent aussi des réseaux et des espaces communautaires et s'affirment comme groupe social, avec une histoire, une identité, une culture.

Les femmes des Premières Nations poursuivent également leur action depuis 1974. Progressivement, elles mettent en place des centres de santé, des maisons d'hébergement. Elles ont droit à des services spécifiques. En 1985, après un long processus, le projet de loi C-31 sur les Indiens a été adopté par le gouvernement fédéral: les femmes autochtones ne perdent plus leur statut d'Indienne si elles épousent un Blanc. Mais la loi est pleine de trous: «Cette loi crée de la division dans les familles», regrette une Amérindienne.

Assurément, au palmarès des institutions misogynes, figure au premier rang l'Église catholique. Les femmes sont pourtant beaucoup plus nombreuses que les hommes dans les communautés chrétiennes. Leur présence est indispensable au sein de l'Église et elles occupent presque toutes des fonctions subalternes. Désormais, les religieuses ont de nouvelles responsabilités, même celles de «curé de paroisse», sans avoir le droit de célébrer les sacrements, évidemment. Plusieurs féministes chrétiennes sentent le besoin de s'organiser et de réagir devant le caractère conservateur de l'Église.

Elles mettent en place, en 1982, **Femmes et ministères** afin de mobiliser les femmes qui travaillent dans l'Église. Plusieurs d'entre elles ont tendance à penser que le féminisme ne les concerne pas. Les responsables de Femmes et ministères font faire une vaste enquête pour les persuader du contraire. Intitulé *Les soutanes roses*, le rapport crée une petite commotion en déroulant un long chapelet de discriminations qui frappent les agentes de pastorale. Les évêques se doivent de réagir à ce document.

En 1986, le comité des Affaires sociales de l'Assemblée des évêques du Québec forme un comité *ad hoc* pour organiser une grande réunion de deux jours qui va permettre aux évêques de faire le point sur les questions qui préoccupent les féministes. Les femmes qui organisent la réunion planifient soigneusement l'événement. Les évêques sont dispersés au milieu de la centaine de femmes qui ont été invitées et doivent entendre des propos qui les dérangent profondément sur la famille et le pouvoir, sur le langage et le travail, sur la sexualité et la violence. La célébration eucharistique donne lieu à des gestes symboliques frappants : par exemple, c'est une femme qui prononce l'homélie. Durant les paroles de la consécration, des voix féminines se font entendre dans la foule, en même temps que le célébrant. Ce sont des femmes qui distribuent la communion aux évêques. La session se termine par une série de recommandations très concrètes, notamment sur le salaire des femmes qui travaillent dans l'Église. Un journaliste commente ainsi cette réunion : « Les évêques dans la fosse aux lionnes ! »

Des tables rondes sont par la suite organisées dans les diocèses sur le partenariat hommes-femmes dans l'Église, sur la sexualité et sur la violence. Les anciennes directives de pastorale doivent être modifiées, apprennent les prêtres qui participent à ces tables rondes : il n'est plus question de conseiller aux femmes d'offrir leurs souffrances au Seigneur... En 1989, l'Assemblée des évêques publie *La violence en héritage. Réflexion pastorale sur la violence conjugale.* Cette brochure est un autre indice que la réflexion féministe a rejoint tous les milieux.

Il est quand même curieux que les médias de l'époque entretiennent l'idée que le féminisme est en train de s'éteindre, que le féminisme est allé trop loin, que nous sommes à l'ère du postféminisme, alors qu'au contraire les groupes de femmes n'ont jamais été si nombreux ni si organisés, faisant la preuve tous les jours que le féminisme est absolument nécessaire. Qui a raison ? Les médias ou les féministes ? **Le féminisme est-il passé de mode ?**

29

Le message féministe change de ton

Pendant que les grands regroupements se mettent en place, que de nouveaux groupes de femmes mobilisent de nouvelles militantes, le message féministe change de ton. Lorsqu'en 1978 la revue *Pluri-elles* est devenue *Des luttes et des rires de femmes*, la volonté de modifier le message féministe se trouvait inscrite dans ce mot « rires » qui figurait dans le titre. Cependant, les lectrices ne riaient pas souvent! Bien des femmes estimaient que les féministes étaient porteuses de mauvaises nouvelles, qu'elles victimisaient les femmes. Elles trouvaient la presse féministe trop pessimiste. Bref, les femmes n'avaient pas tellement le goût de la lire. Or, un souffle nouveau allait sortir d'un magazine inséré dans la revue de gauche *Le Temps fou* en 1980. Le pape Jean-Paul II lui-même, les lèvres peintes en rouge, annonce la publication de *La Vie en rose*!

Ce nouveau magazine adopte désormais une écriture plus vivante, plus décontractée dans une mise en pages attrayante. « Un magazine couvrant toute l'actualité d'un point de vue féministe, qui s'opposera au psychologisme ronronnant et à l'optimisme malade de la presse dite féminine », voilà ce qu'annoncent les rédactrices de *La Vie en rose*, qui veulent rompre avec le « ton féministe » des années 1970 : « Un magazine qui s'opposera à un certain féminisme moralisateur, ghettoïsant et pudique ».

Au bout d'un an, la revue paraît tous les deux mois et son tirage atteint plus de 10 000 exemplaires. L'équipe de rédaction[1], venue principalement du Comité de lutte pour l'avortement libre et gratuit, a des objectifs dynamiques : provoquer des débats à l'intérieur du mouvement féministe ; dénoncer l'oppression des femmes ; donner

---

1. Formé notamment de Sylvie Dupont, Ariane Émond, Françoise Guénette, Lise Moisan et Francine Pelletier.

De 1980 à 1987, un magazine insolent, *La Vie en rose*, va modifier la tonalité du message féministe. Voici le *teaser*, où le pape Jean-Paul II lui-même, les lèvres peintes en rose, annonce la parution prochaine du magazine, inséré dans le *Temps fou*.

du plaisir aux lectrices ; démontrer la vitalité de la culture des femmes. La revue frappe par son ton insolent, ses pages couverture, ses flirts avec des questions controversées : la pornographie, la censure, la famille, le travail ménager, les médias, l'amour, le terrorisme, l'érotisme, la prostitution.

Elles réussissent de véritables scoops en proposant des entrevues avec des stars du féminisme : Simone de Beauvoir, Kate Millett, Benoîte Groult. Elles demandent effrontément : « Aimons-nous les hommes ? »

Elles préparent un numéro rempli de nouvelles érotiques. Et dans chaque numéro, on trouve les caricatures désopilantes d'Andrée Brochu et la chronique délinquante d'Hélène Pednault. En 1985, la revue paraît désormais tous les mois, atteint un tirage de 20 000 exemplaires, avec plus de 60 000 lectrices. Les rédactrices organisent un gigantesque party le 8 mars 1984, Rose Tango, qui attire 3500 femmes !

Pourtant, l'équipe de rédaction approche du burn-out collectif. Le magazine cesse de paraître en 1987 malgré un tirage de 40 000 exemplaires. C'est qu'une telle entreprise ne saurait survivre sans publicité, et les grands publicitaires boudent *La Vie en rose*. La revue a quand même duré près de huit années : un record dans la presse féministe ! Les rédactrices soupçonnent aussi les femmes d'être devenues trop individualistes et les membres du collectif sont fatiguées. Françoise Guénette confie :

« Nous sommes allées cultiver notre vie privée, écorchées par le zèle et les longues heures de travail des années précédentes. »

Nées presque en même temps que *La Vie en rose*, **les Folles Alliées** sont apparues dans la ville de Québec au début des années 1980. Les Folles alliées, c'est une aventure incroyable de comédiennes polyvalentes, qui inventent littéralement l'humour féministe, dans des shows qui ont fait crouler de rire toute une génération de femmes et d'hommes. Solidaires de tous les combats féministes, elles disent d'elles-mêmes : « Nous sommes des coureuses ayant fait partie d'une immense course à relais. »

De 1981 à 1989, un groupe de comédiennes de la ville de Québec va multiplier les spectacles d'humour : *Les Folles Alliées*. Artistes polyvalentes, elles chantent, elles dansent, elles jouent, elles font les clowns. De gauche à droite : Agnès Maltais, Hélène Bernier, Lise Castonguay, Claire Crevier, Jocelyne Corbeil, Lucie Godbout et Christine Boillat.

Elles ont écrit une douzaine de spectacles en dix ans. Trois d'entre eux ont fait des tournées au Québec. Personne n'est près d'oublier *Enfin duchesses!* qui dénonce l'exploitation des femmes par les organisateurs du Carnaval de Québec; *Mademoiselle Autobody*, sur le thème de la pornographie; *C'est parti mon sushi! Un show crû*, qui présente, en ouverture, une mémorable apparition de la Sainte Vierge. Ce spectacle a l'effet d'un coup de massue, en montrant dans toute sa vulgarité l'oppression des hommes à l'endroit des femmes.

« Prends-le pas personnel. Prends-le historique! » Cette réplique, destinée aux hommes dérangés par le féminisme, nous la devons aux Folles Alliées. Elles ont fermé boutique après dix ans, par manque de soutien financier. Et pourtant, les salles étaient toujours remplies...

Sur la scène culturelle, des événements féministes continuent d'attirer l'attention. Le cinéma, la vidéo surtout, attire les artistes, et des festivals, des groupes s'organisent dont on ne peut souligner toutes les manifestations. Les réalisatrices de l'ONF continuent de produire des documentaires qui explorent les luttes féministes. De nouveaux spectacles de théâtre sont mis en scène. Pol Pelletier se révèle rapidement comme une artiste aussi intense qu'intransigeante.

Un événement artistique en particulier attire l'attention, à l'hiver de 1982, la venue à Montréal de l'exposition *The Dinner Party*, de l'artiste américaine Judy Chicago. Autour d'une vaste table triangulaire sont conviées 39 femmes de l'histoire mondiale, chacune représentée par une assiette où figure notamment le sexe féminin, un vagin stylisé. Au centre de l'espace créé par les 39 couverts, les noms de centaines de femmes inscrits sur des tuiles blanches. L'impression est puissante. On a placé, dans l'antichambre où la file interminable de visiteurs se déploie, deux autres œuvres: *La Chambre nuptiale* de Francine Larivée et une énorme courtepointe réalisée par des femmes de toutes les régions du Québec. L'expérience est bouleversante pour la majorité des personnes qui visitent l'exposition. Certains hommes manifestent cependant leur réprobation. Un intellectuel proteste:

« On ne fait pas de l'art avec une pensée militante! »

Celui-ci a trouvé l'exposition insignifiante. Commentaire qui rend compte de la difficulté, pour les femmes, de faire entendre leur message. *Guernica* de Picasso n'était-elle pas pourtant une toile militante?

En quelques années, les femmes artistes ont pris la parole avec leurs tableaux, leurs chorégraphies, leurs mises en scène, leurs personnages, leurs caméras, leurs installations, leurs mots. Elles ont franchi la frontière : elles ne sont plus l'objet du regard des hommes artistes. Elles contestent ainsi la tradition essentiellement masculine qui prédomine dans tous les arts.

Durant les années 1980, le message féministe est donc toujours là, impertinent et percutant. Mais l'embellie de la décennie précédente n'est plus au rendez-vous. Une opposition d'abord timide, puis de plus en plus explicite se manifeste contre les analyses féministes, contre les actions du mouvement des femmes. Comme au début du XXᵉ siècle, l'antiféminisme multiplie ses invectives. **Comment se manifeste cet antiféminisme ?**

La montée de l'antiféminisme

Depuis son apparition, à la fin du XIXe siècle, le mouvement féministe a suscité de l'hostilité au Québec. Ce récit en a fait état au fil des chapitres, notant l'opposition des journalistes comme Henri Bourassa, des hommes politiques comme Alexandre Taschereau, des évêques comme le cardinal Villeneuve. On pourrait écrire un autre livre avec tous les propos antiféministes qui ont été tenus ! Cette opposition a longtemps bloqué tout changement dans l'ordre social : contre le vote des femmes ; contre l'égalité de droits dans le Code civil ; contre la présence des femmes mariées sur le marché du travail ; contre les salaires égaux pour les femmes ; contre l'accès des filles aux études supérieures ; contre la présence des femmes en politique ; contre les garderies ; contre la pratique de la contraception ; contre le droit à l'avortement. Cet antiféminisme se nourrit également à une vieille tradition de misogynie, de haine et de mépris des femmes, qui remonte au début de la civilisation patriarcale. Aux États-Unis, durant les années 1980, on a commencé à parler de *backlash* antiféministe. Ce *backlash* n'a pas été sans influencer la société québécoise.

À la fin du XXe siècle, en effet, l'antiféminisme se manifeste de manière différente, car les victoires des féministes ont profondément modifié la situation. La plupart des gens doivent reconnaître que les demandes des féministes ne sont pas exagérées. Un journaliste affirme :

« [Les féministes] ont raison indéniablement. Rien à reprocher à leurs discours et à leur projet. »

Toutefois, un grand nombre d'hommes vivent ces transformations avec malaise : ils ne veulent pas perdre leurs privilèges. Il semble que bien des hommes ont du mal à accepter l'autonomie des femmes. En même temps, plusieurs femmes se contentent de profiter des nouvelles possibilités qui leur sont offertes et considèrent que le féminisme est devenu inutile. Dans plusieurs milieux de travail, les cabinets d'avocats, les médias, les affaires, les femmes ont d'ailleurs intérêt à ne pas trop se montrer féministes !

L'antiféminisme de L'Actualité

Un magazine populaire comme *L'Actualité* rapporte de manière déformée ce qui se passe sur la scène du féminisme québécois. Selon *L'Actualité*, le féminisme n'a que 10 ans en 1978 et 20 ans en 1984. Le féminisme existe au Québec depuis 1893, mais personne ne le sait ! Le magazine affirme que les hommes se sentent désormais inutiles et diagnostique « le syndrome du bourdon », cet insecte qui ne sert à rien dans la ruche.

> Les hommes se sont tus parce qu'ils ont peur de n'être pas compris.
> Sous la douche froide du féminisme, le désir est insoutenable.
> Le féminisme a créé un désarroi profond.
> Il y a de la tartufferie dans le féminisme.

Quand le magazine aborde l'une ou l'autre des questions mises sur la place publique par les féministes, c'est en référence soit aux États-Unis, soit à la France. Pas un mot des luttes d'ici, des groupes d'ici, des analyses d'ici, ce qui est une manière d'en diminuer l'importance politique. Régulièrement, le magazine annonce la fin prochaine du féminisme : « Il est normal qu'on tente aujourd'hui de mettre le féminisme en veilleuse. » Le magazine ne perd pas une occasion de dire que si les Québécoises ne renient pas les victoires des féministes, elles refusent de porter cette étiquette.

Plusieurs tribunes téléphoniques se font aussi l'écho de propos antiféministes. Un exemple entre mille : « Les femmes n'ont pas d'affaire à conduire des autobus scolaires ! » Et pourquoi ? On voudrait bien le savoir !

La presse féminine

Du côté de la presse féminine, des magazines comme *Châtelaine* et tant d'autres ont été contraints par les publicitaires à cesser de flirter avec les idées féministes. Ils adoptent le vocabulaire nouveau et parlent de liberté, d'autonomie, d'égalité, mais pour des sujets légers, anodins : le choix du maquillage, la mode, les thérapies, les tests psychologiques, la ligne minceur, le tout enrobé dans un déferlement de nymphettes à demi nues aux poses suggestives. Une militante d'un centre de santé des femmes déclare : « Les magazines féminins, c'est devenu dangereux pour la santé ! », car il est presque impossible de les feuilleter sans se sentir vieille, laide et mal habillée. On a beau savoir que les photos sont retouchées...

On interroge à la télévision une rédactrice en chef sur le féminisme. Celle-ci répond :

« Oh ! le féminisme, c'est tellement démodé ! »

Une autre déclare :

« Aujourd'hui, le féminisme, ça se dit beaucoup moins, ça se fait beaucoup plus. Nous, à *Châtelaine,* nous allons insister sur l'aspect travail, carrière, finances. On ne peut imposer un point de vue aussi absolu à l'ensemble des lectrices. »

Toutefois, le magazine se fait la courroie de transmission pour la chirurgie plastique, les seins en silicone, la féminité réduite à des sous-vêtements en dentelle. Il n'a aucun scrupule à imposer les critères superficiels des publicitaires. Le culte de la beauté à tout prix constitue sans doute la figure la plus sournoise de l'antiféminisme.

L'avortement fait de nouveau les manchettes

Et pourtant, les luttes de la décennie précédente sont loin d'être terminées. La question de l'avortement continue de faire les manchettes. Dans quelques régions, on tente de mettre fin aux comités chargés d'examiner les demandes d'avortement thérapeutique, ce qui provoque des remous.

« Que font les féministes ? Elles poussent les hauts cris. Mais taisez-vous donc ! Vous allez tout gâcher ! » recommande Pierre Bourgault en 1986.

On aimerait bien au fond que les féministes cessent de parler. En 1989, seulement 12 des 168 CLSC et 35 des 140 hôpitaux offrent des services d'avortement.

Un député du Parti québécois se prononce publiquement, « pour des raisons nationalistes », contre les cliniques qui procèdent à des avortements dans le réseau public de la santé. Il est soutenu par le groupe Combat pour la vie, dirigé par un ex-boxeur, Reggie Chartrand, qui a publié en 1984 le livre *Dieu est un homme parce qu'il est bon et fort. La révolte d'un homme contre le féminisme.* Ce livre n'est qu'un long chapelet de citations d'auteurs masculins au cours des siècles, d'Aristote à Woody Allen, toutes citations qui dévalorisent les femmes. L'ouvrage connaît un très bref succès de scandale.

En 1985, Reggie Chartrand porte plainte contre le Dr Morgentaler. Le juge finit par qualifier sa plainte de « frivole et vexatoire ». L'année suivante, il poursuit un autre médecin, ce qui entraîne une longue saga juridique. Dans le cours de cette affaire, le chef de police de la ville de Trois-Rivières blâme les femmes qui choisissent d'interrompre leur grossesse en disant :

« Elles sont des femelles lâches et meurtrières. »

Les militantes réagissent, exigent des excuses, mais le Conseil municipal invoque plutôt la *Charte des droits et libertés* pour excuser son chef de police.

En 1988, la Cour suprême du Canada invalide les dispositions du Code criminel relatives à l'avortement : l'avortement n'est plus un crime. Les femmes qui veulent un avortement en ont-elles fini avec les juges et la justice ?

À l'été de 1989, éclate l'affaire Chantale Daigle. Cette jeune femme vit une relation difficile avec son conjoint, Jean-Guy Tremblay. Comme elle devient enceinte, celui-ci la somme de se faire avorter, mais elle refuse. Toutefois, leur relation se détériore, et devant la violence de son conjoint, elle se résout à demander l'avortement. C'est alors qu'il obtient contre elle, de la Cour supérieure, une injonction lui interdisant de se faire avorter, sous peine d'écoper de deux ans de prison et de 50 000 $ d'amende. L'injonction invoque « les droits du fœtus » et ceux du « futur père ». C'est une première au Québec. Chantale Daigle décide alors de contester cette injonction, et ce combat va la mener jusqu'en Cour suprême. L'affaire est ébruitée dans les médias et suscite alors un véritable raz-de-marée dans les deux camps : les Pro-vie et les Pro-choix. Les militantes de la Coalition québécoise pour le droit à l'avortement libre et gratuit organisent de larges manifestations et plus de 10 000 personnes, surtout des femmes, se retrouvent dans la rue pour soutenir Chantale Daigle. Un *Manifeste des femmes du*

Québec est lu, en cinq langues, le 27 juillet 1989. On y défend vigoureusement le droit à l'avortement :

> La portée de ce jugement est très grave pour les femmes. Ce jugement vient étendre aux hommes, aux chums, aux époux, le pouvoir de contrôler individuellement la liberté et les maternités des femmes. C'est une décision patriarcale, au sens propre du terme. Elle donne aux pères plus de pouvoir qu'aux mères sur la maternité. Elle utilise la notion de droit à la vie du fœtus comme levier du pouvoir des hommes.

Pour Chantale Daigle, la lenteur du processus judiciaire est une menace, car sa grossesse avance. Elle ne peut attendre davantage. Aidée par les militantes du Centre de santé des femmes de Montréal, le 30 juillet 1989, elle se rend clandestinement à Boston pour obtenir enfin l'avortement souhaité. Elle s'est déguisée en *punk*, les cheveux teints en rouge et vert. Sa mère l'accompagne. Quelques jours après son retour, la décision de la Cour suprême tombe : l'injonction qui pesait contre elle est cassée. Le jugement est clair :

> Le fœtus n'est pas compris dans les termes « être humain » [...]. Rien dans la législation ni dans la jurisprudence du Québec n'appuie l'argument que l'intérêt du père à l'égard du fœtus qu'il a engendré lui donne le droit d'opposer un veto aux décisions d'une femme relativement au fœtus qu'elle porte.

Chantale Daigle retourne à l'anonymat, tandis que son conjoint continue de faire régulièrement les manchettes pour violence à l'endroit de ses compagnes successives.

Le massacre de la Polytechnique

Le 6 décembre 1989, un jeune homme pénètre à l'École polytechnique de l'Université de Montréal. Calmement, armé d'une arme automatique, il entre dans les classes, sépare les étudiants et les étudiantes et tire systématiquement sur les filles.

« Vous n'êtes qu'une bande de féministes !

— Nous ne sommes pas féministes. Nous sommes juste des femmes qui veulent devenir ingénieures ! » protestent-elles.

En l'espace de quelques minutes, il a tué 14 étudiantes et blessé 13 autres. Interpellé par une de ses victimes, Marc Lépine tourne alors son arme contre lui-même et se suicide. Ce drame épouvantable fait alors le tour des bulletins de nouvelles du monde entier.

Les femmes comprennent rapidement le sens profond de ce geste : c'est la haine des féministes qui a provoqué sa folie meurtrière. C'est ce qu'il criait en passant d'une classe à l'autre. Ce sont les propos qui figuraient dans une lettre retrouvée dans ses affaires :

« Même si l'épithète TIREUR FOU va m'être attribué dans les médias, je me considère comme un érudit rationnel. Les féministes ont toujours eu le don de me faire rager. »

On y trouvait également la liste de plusieurs personnalités féminines qu'il souhaitait assassiner. Le message était clair comme de l'eau de roche.

Pourtant, les autorités ne publient que la liste des femmes menacées. Le texte n'est pas rendu public, pour taire la signification hautement politique de son geste. Plusieurs personnes vont alors accuser les féministes de tenter de récupérer l'événement. « J'offre mes sincères condoléances aux familles des étudiants morts », déclare le ministre de l'Éducation, Claude Ryan, à la télévision. Mais monsieur Ryan, ce sont TOUTES des étudiantes. Pourquoi refusez-vous de l'admettre ?

La journaliste Francine Pelletier entend cette répartie dans les couloirs de Radio-Canada : « Il aurait dû toutes les tuer ! »

Les féministes se voient alors pratiquement interdites de parole : elles n'ont pas le droit de souligner la signification politique de ce crime. Plusieurs textes qu'elles envoient aux journaux sont refusés. Si le tueur avait massacré des Noirs ou des Juifs, tout le monde aurait crié au crime raciste ou antisémite. Il a tué des jeunes femmes parce qu'il les jugeait féministes : cela, on n'a pas le droit de le dire. Comme le disent les Folles Alliées :

« On sait de source très sûre que la colère est un sentiment qui ne nous est pas défendu mais refusé. »

« Les féministes tentent de récupérer un fait divers », affirme-t-on un peu partout. Mais l'expertise féministe est interdite pendant qu'on entend *ad nauseam* les interprétations psychologisantes.

« Ce qui m'étonne, c'est qu'il n'y ait pas plus de cas de ce genre ! » affirme calmement un médecin à la télévision.

Cet épisode a marqué le début d'un antiféminisme ouvert et tonitruant. Un an plus tard, le journaliste Roch Côté publie *Manifeste d'un salaud,* pamphlet où il remet en question les statistiques concernant la violence faite aux femmes et les tourne en dérision :

« À côté de ces textes qui dramatisent la violence contre les femmes, écrit-il, la description de la bataille de Stalingrad pourrait s'appeler "les vacances de l'armée rouge". »

Le pamphlet de Roch Côté est reçu avec consternation par les féministes. Mais plusieurs hommes réagissent différemment :

« J'ai lu le *Manifeste d'un salaud* de Roch Côté comme une libération », confie aujourd'hui un journaliste qui était alors étudiant.

Les forces antiféministes vont-elles affecter le mouvement des femmes ?

Le 50ᵉ anniversaire du droit de vote fouette les énergies

L a tragédie de Polytechnique et la réaction conjointe des médias, des autorités et des «experts» ont, dans un sens, fouetté la mobilisation des féministes. Dans un bref laps de temps, plusieurs événements vont polariser toutes leurs énergies: la célébration du 50ᵉ anniversaire du droit de vote, la participation au débat constitutionnel canadien après l'échec de l'Accord du lac Meech, et l'organisation d'un colloque pour définir un projet féministe de société. Ce chapitre se concentre sur ces trois événements, mais on ne doit pas oublier que pendant ce temps, des milliers de femmes sont toujours à l'œuvre dans les centaines de centres qui ont été mis en place durant les deux décennies précédentes. Pour ceux que cette présence dérange, la mesure est comble. On annonce la mort du féminisme depuis 1976, au lendemain de l'Année internationale de la femme. Des groupes «masculinistes» commencent même à se former pour protester contre cette présence féministe qui persiste et signe.

L'anniversaire du droit de vote

L'anniversaire du droit de vote est l'occasion d'un bilan. Dans un premier temps, on a procédé à une gigantesque consultation auprès de tous les groupes, une démarche intitulée *Et si on se racontait le féminisme*. C'est un beau processus collectif, une gestation parfois difficile, mais qui a fini par porter fruit. Le Groupe des 13 est largement mis à contribution et d'autres associations, tels les cercles de fermières, pourtant si jaloux de leur autonomie et si peu enclins à endosser les objectifs féministes, y participent également. Au printemps de 1990 le résultat est publié sous la forme d'un livre dédié à deux groupes:

À nos vraies mères, pour la plupart cachées sous le nom de nos pères, et puis à nos autres mères, les Marie Lacoste-Gérin-Lajoie, Thérèse Casgrain et Idola Saint-Jean, militantes qui ont obtenu pour nous le droit de vote, ouvrant ainsi quelques brèches dans l'édifice patriarcal

À nos filles, qui, libérées de l'amertume de leurs mères, peuvent partir de cette belle et dure histoire des travaux et des luttes des femmes d'ici et marcher fièrement, joyeusement peut-être, vers un avenir où elles auront pour inévitable mission de s'investir massivement pour la survie de la planète

Elles ajoutent:

Après le tragique événement qui, en ces froides et sombres journées de décembre 1989, nous a balayées, jetées par terre, comme un immense coup de vent dévastateur, la peur, l'horreur, la désespérance ont traversé tous les groupes de femmes. Puis les jours ont passé un à un. Nous avons relevé la tête. Il a fallu, une fois encore, beaucoup de courage pour ranimer la flamme de l'espoir.

Les organisatrices du 50ᵉ anniversaire du droit de vote ont intitulé la célébration *Femmes en tête*. Dans chaque région, les groupes de femmes organisent des événements: pièces de théâtre, forums, tables rondes, qui rassemblent des centaines de femmes. Le tout se termine à Montréal par un gigantesque rassemblement de trois jours: *Les 50 heures du féminisme*. On a demandé à Lise Payette d'en être la présidente d'honneur.

Malheureusement, Lise Payette a produit, dans les mois précédents, un documentaire intitulé *Disparaître*, sur le déclin de la natalité au Québec et la menace que représente l'augmentation du nombre d'immigrants. Ce documentaire a choqué les communautés culturelles et l'**Association des femmes immigrantes** décide de boycotter *Femmes en tête*. L'événement a lieu malgré tout. Le premier soir, pendant les discours, les groupes de l'R des centres de femmes en profitent pour manifester contre les compressions du gouvernement fédéral qui viennent de se produire: des dizaines de banderoles se déploient dans la nef de l'Université du Québec à Montréal. L'effet est spectaculaire. Les deux jours suivants, de multiples ateliers rassemblent les femmes pour discuter des dossiers du féminisme. Des journalistes goguenards, qui ont toujours l'impression que le féminisme est sur son déclin, font de timides comptes rendus dans la presse.

À l'occasion du 50ᵉ anniversaire du droit de vote, un spectacle fabuleux réunit, sous la direction de Denise Filiatrault, des artistes passionnées, dont Pauline Julien, Clémence DesRochers et Margie Gillis.

Le dernier soir, le 28 avril 1990, tout le monde se retrouve à l'aréna Maurice-Richard pour une soirée grandiose, mise en scène par Denise Filiatrault. D'abord, une pièce de théâtre rappelle les étapes de la conquête du droit de vote : *L'incroyable histoire de la lutte que quelques-unes ont menée pour obtenir le droit de vote pour toutes*. Ensuite un spectacle où défilent des artistes passionnées. L'atmosphère de la salle est survoltée. Les femmes en ressortent pleines d'enthousiasme pour poursuivre la lutte. Dans la station de métro voisine, des centaines de femmes s'entassent de chaque côté du quai. Lorsque la rame pénètre dans la station, on découvre que c'est une femme qui la conduit. Elle est acclamée comme une héroïne, symbole des victoires que les femmes ont obtenues depuis un siècle.

Presque au même moment, l'Assemblée des évêques organise un événement tout aussi spectaculaire, mais qui attire moins l'attention des féministes. Dans la cathédrale de Québec, les évêques font amende honorable pour s'être opposés si longtemps au droit de vote des femmes, privant ainsi les femmes d'un droit fondamental. Cela signifie-t-il que les féministes chrétiennes verront leurs revendications entendues ? Difficile à croire ! Plusieurs femmes ont refusé d'assister à cette cérémonie : elles ne veulent pas endosser ce geste qui, au fond, n'engage à rien les évêques. Une théologienne féministe s'y est toutefois présentée vêtue de noir, coiffée d'un chapeau et parée de bijoux anciens. Elle explique :

« J'ai décidé d'accepter les excuses des évêques comme un geste réparateur à l'égard de ma mère et de toutes ces femmes de sa génération qui ont été opprimées par l'Église. »

De Rome, arrivent toutefois des directives très contraignantes sur la place des femmes dans l'Église. L'Église québécoise, qui a la réputation d'être une des plus libérales de la chrétienté, va lentement rentrer dans le rang : les évêques sont tenus à l'obéissance romaine.

On aurait tort de penser que toutes ces célébrations occupent la une des médias. Quand *La Presse* publie un cahier spécial sur le féminisme à l'occasion de l'anniversaire du droit de vote, un journaliste proteste :

« Quels événements justifient une telle étendue de textes, comme si on était à un tournant de l'histoire ? Aucun. Il s'agit de l'anniversaire du droit de vote. »

Les féministes et le débat constitutionnel

Les journalistes, en revanche, commentent à pleines pages les débats constitutionnels qui ont cours à la même époque sur la scène politique. Les féministes y prennent part, mais le grand public n'en sait rien. Or, depuis le référendum de 1980, où les féministes étaient nettement divisées en deux camps, le débat a évolué. Comme elles viennent de célébrer le 50ᵉ anniversaire du droit de vote, les féministes sont logiques : elles veulent s'insérer dans le débat constitutionnel. Au moment du rapatriement de la Constitution en 1981, l'action unilatérale du gouvernement d'Ottawa choque une grande partie du Québec, et inquiète aussi les féministes. Plusieurs d'entre elles pensent que les femmes sont les grandes absentes du débat constitutionnel et que « s'il y a une deuxième Constitution, il y a bien des chances qu'elle soit une deuxième fois le reflet d'un consensus de nouveaux pères de la Confédération».

En 1987, lorsque la population est invitée à prendre position sur l'Accord du lac Meech que le gouvernement Mulroney a conclu avec les provinces, la Fédération des femmes du Québec présente un mémoire. À leurs yeux, le respect de l'égalité entre les hommes et les femmes fait partie de la culture politique du Québec, et contribue à définir la «société distincte». Or, des féministes canadiennes déclarent, dans un congrès pancanadien:

«La société distincte menace les droits des femmes.»

Elles sont en retard dans les nouvelles, pensent les responsables de la FFQ.

«En réalité, les progrès que nous avons faits relativement à la question du statut des femmes sont liés au concept de société distincte.»

Les féministes sont-elles devenues unanimes sur la question nationale? Nullement. Les Québécoises sont de plus en plus nombreuses à entrer en politique, et ce, dans tous les partis. En 1990, on compte 23 députées à l'Assemblée nationale de Québec. On en trouve 13 à la Chambre des communes.

En 1990, tous les yeux sont tournés vers Ottawa. Les premiers ministres des provinces sont en discussion pour la ratification de l'Accord du lac Meech, qui permettrait enfin au Québec de signer la Constitution canadienne, rapatriée contre son gré en 1981. Un suspense haletant qui se solde finalement par un échec retentissant et contribue à la création du Bloc québécois sur la scène fédérale, nouveau parti politique où les femmes sont nombreuses.

L'échec de cet accord incite alors le gouvernement du Québec, dirigé par le Parti libéral de Robert Bourassa, à instituer une vaste commission sur le statut constitutionnel du Québec: la Commission Bélanger-Campeau. Des membres de pratiquement toutes les associations du Québec sont invités à y siéger, mais pas les groupes de femmes. Les féministes protestent. Et comme le dit la syndicaliste Lorraine Pagé, qui siège à la Commission à titre de présidente de la CEQ:

On a dit aux femmes qu'elles exagèrent, que le point de vue des femmes serait amplement entendu, repris et amplifié et qu'il en serait tenu compte. On a aussi mis en lumière le fait qu'étant femme, syndicaliste, éducatrice et féministe, je pourrais fort bien «remplir cette fonction» et «tenir ce rôle». Cela ne devrait pas me donner le droit de parole quatre fois plus souvent que mes collègues commissaires, mais il faut croire que le système de la double, de la triple ou de la quadruple tâche trouve son application même dans les commissions parlementaires!

À cette occasion, la Fédération des femmes du Québec présente un mémoire où elle affirme ouvertement sa position souverainiste, tout en se gardant bien de rattacher sa position à un parti politique.

D'un point de vue féministe, nous comprenons l'importance de l'autonomie et de l'identité. De tels enjeux furent et sont encore au cœur de la lutte des femmes. Si nous voulons que s'élabore et prenne forme au Québec un projet féministe de société [...] il faut que le Québec soit le maître d'œuvre des grands moyens de son développement et de son épanouissement.

Près de 20 groupes de femmes présentent également des mémoires devant les commissaires. Des énergies considérables sont mobilisées pour la préparation de tous ces textes: les femmes tiennent à faire entendre leur voix.

Mais on comprend rapidement que les impératifs économiques auront priorité sur tous les autres. Dans le rapport final, ce que les femmes ont dit est à peine pris en considération. En cherchant bien, on trouve un tout petit paragraphe dans la conclusion sur l'égalité théorique entre les hommes et les femmes.

«On n'aurait rien dit que ça aurait été pareil!» s'insurgent de nombreuses militantes.

Dans le remue-méninges suscité par leur participation aux grands débats politiques, plusieurs féministes croient qu'il est important, avant tout, de définir quelle sorte de société on veut bâtir, avant de poser la question de l'autonomie du Québec. C'est pourquoi la FFQ lance un nouveau forum auprès de ses membres pour définir un projet féministe de société. Les femmes sont convoquées à un vaste rassemblement (un autre!) afin d'échanger sur ce projet. Au bout de l'exercice, on publie un document original, *Pour un Québec féminin pluriel*, lequel expose sobrement dans quelle sorte de société les femmes voudraient vivre.

Il est remarquable que la FFQ ait réussi à mener à bien toutes ces réflexions et à préparer tous ces documents. En effet, durant les années 1989-1993, cette organisation traverse une période houleuse et difficile : démission d'une présidente, problèmes administratifs, arrêt de publication de la revue, diminution des subventions. La FFQ est portée à bout de bras par quelques bénévoles, notamment au Conseil général de Montréal. L'engagement féministe est toutefois transmis à une nouvelle génération de militantes.

Participer au pouvoir

On assiste par ailleurs à une montée de plus en plus visible des femmes dans divers lieux de pouvoir. Les femmes sont-elles en train de s'introduire dans les derniers châteaux forts du pouvoir masculin ? D'un autre côté, on commence à réaliser que même si la proportion de femmes augmente au Parlement et dans les sphères décisionnelles, elle plafonne dès qu'elle atteint 30 %.

« C'est le plafond de verre », expliquent les spécialistes.

Lorsque les femmes ont voté pour la première fois aux élections municipales de Montréal, en 1904, Marie Gérin-Lajoie écrivait dans son journal : « La glace est rompue. Je crois que nous ne rétrograderons pas. » La glace a été rompue, certes, mais elle s'est reconstituée en obstacle au sommet des organigrammes et des institutions : le plafond de verre.

C'est pourquoi, un peu partout, se mettent en place, au milieu des années 1990, des groupes qui font la promotion de l'entrée des femmes en politique. À Ottawa, des députées et d'anciennes députées servent de « mentores » aux nouvelles candidates. Mais les femmes souhaitent en majorité investir la politique municipale, beaucoup plus proche d'elles. Plusieurs femmes remplissent de hautes responsabilités à Montréal, par exemple. Elles confient ressentir « la belle sensation d'être à la bonne place au bon moment ».

Le plus original de ces groupes voit le jour à Sherbrooke en 1992. Quelques femmes font le constat amer que la politique traditionnelle ne se soucie pas des femmes. On discute alors des « grappes industrielles » que le gouvernement veut implanter. Comment s'insérer dans ce projet ? Dans une grappe, il y a des raisins. Dans un raisin il y a des pépins.

« Tu veux dire des pépines ! »

C'est alors qu'elles prennent la décision de fonder les **Pépines**, un organisme qui vise à promouvoir le rôle des femmes dans tous les lieux de décision. Leur nom évoque l'énergie de la grosse machinerie des chantiers de construction et est aussi le sigle de Promotion des Estriennes Pour Initier une Nouvelle Équité Sociale. Tout ce que l'Estrie compte de lieux de décision devra composer avec les Pépines : elles font connaître la liste des femmes prêtes à accepter des responsabilités ; elles exigent la présence de femmes dans les lieux de pouvoir ; elles honorent les personnes, hommes ou femmes, qui favorisent l'équité sociale ; elles organisent des séances d'information sur les débats de l'avenir.

Des mouvements similaires apparaissent au Québec : le **Groupe Femmes, politique et démocratie**, le **Réseau des élues municipales de la Montérégie**, **Femmes et politique municipale de l'Estrie**, **Femmes d'influence** de Lévis, et bien d'autres. Leur action porte fruit : la proportion de mairesses et de conseillères augmente considérablement : elle passe de 1,3 % en 1980 à 13 % en 2005. Celle des conseillères passe de 3 % en 1980 à 27 % en 2005. Bientôt apparaissent des **comités-femmes** au sein de l'Union des municipalités du Québec et de la Fédération québécoise des municipalités. L'action politique directe, sur le terrain, devient rapidement un élément dynamique et nouveau du mouvement féministe. Après l'an 2000, ces femmes mettront sur pied des stages de formation, pour permettre aux futures candidates de s'outiller avant de se lancer en politique. Tous ces organismes viennent démontrer qu'entre femmes et pouvoir la greffe est possible.

Malgré tout, la position des féministes reste fragile. Les femmes ont le pied dans la porte, mais pour plusieurs féministes, il ne suffit pas de faire comme les hommes. Est-ce que les femmes peuvent changer le pouvoir ou est-ce le pouvoir qui change les femmes ? Par exemple, quelques-unes refusent de considérer comme une victoire des féministes le fait que désormais les femmes puissent faire carrière dans l'armée. D'autres regrettent que le pacifisme ne prenne pas plus d'importance dans les actions des féministes. D'autres, enfin, croient que le féminisme ne s'occupe pas assez des « femmes ordinaires ». Les féministes pourront-elles vraiment changer le monde ? **Un projet collectif pourra-t-il rassembler à nouveau toutes les féministes ?**

La marche Du pain et des roses marque le début d'une nouvelle mobilisation

Les années 1990 sont aussi marquées par un paradoxe : la relève n'est pas au rendez-vous. Les jeunes femmes qui arrivent au cégep et sur le marché du travail ne se reconnaissent pas du tout dans le mouvement féministe. Pour elles, c'est du passé. Il leur semble facile de se prendre en main, que les autres fassent comme elles ! Elles ressemblent beaucoup aux filles des années 1960 qui ne voulaient rien savoir des rassemblements de femmes.

« Le terme "féminisme", ça fait peur !

— Ce mouvement-là, c'est des gens plus vieux qui en ont bavé et qui se sont tannées. Elles ont peut-être bien eu raison de faire ça, mais moi ça ne me rejoint pas. »

Les jeunes femmes trouvent les féministes trop radicales, trop revendicatrices. Elles souhaitent travailler avec les hommes. Quelques-unes soutiennent :

« Peut-être que ça nous inciterait plus, s'il y avait plus d'hommes là-dedans ! »

Malgré tout, elles endossent les victoires des féministes, la liberté et l'autonomie ; elles dénoncent le sexisme encore présent dans la société et elles souhaitent une relation égalitaire avec les hommes. Mais la perspective d'avoir des enfants ne va pas de soi, car elles sont exigeantes quant au choix de leur conjoint éventuel :

« Si j'avais à choisir entre les enfants et le conjoint, je prendrais juste les enfants. »

À un sondage de 1992, mené dans la population en général, les réponses révèlent un appui certain (supérieur à 85 %) aux victoires du féminisme : pour l'égalité et l'équité salariale au travail ; pour le partage

de la responsabilité des tâches domestiques et des responsabilités familiales, les garderies, et la conciliation travail-famille ; pour l'accès des
femmes en politique et aux postes de direction et pour l'humanisation
de l'accouchement. C'est l'appui à la contraception et surtout à l'avortement qui est le plus faible, mais qui atteint tout de même 70 %. Enfin,
22 % des personnes interrogées se disent « sûrement féministes » et
29 % « probablement féministes ». Cet appui de la moitié de la population est-il suffisant pour changer le monde ? Le verre est-il à moitié
plein ou à moitié vide ? De plus en plus de personnes se disent que le
grand défi des années 1990 sera de faire en sorte que la société s'ajuste
à ce que les femmes sont devenues.

La Fédération des femmes du Québec se transforme

Après les grands rassemblements du début des années 1990, *Les
50 heures du féminisme, Un Québec féminin pluriel,* il devient évident
que de nouveaux enjeux se profilent à l'horizon. Plusieurs militantes
de la FFQ, surtout les membres individuelles, sont persuadées que la
FFQ représente toutes les femmes. Elles font confiance au mode d'action qui les a guidées depuis plus de 25 ans. Celles qui travaillent
dans les groupes de femmes, en revanche, ont un avis différent.
Quotidiennement, elles rencontrent des femmes qui font face à des
situations difficiles : celles qui sont victimes de violence conjugale ou
d'agressions sexuelles ; celles qui sont débordées par la double tâche ;
celles qui sont frappées par la pauvreté, le désarroi, le chômage, l'iso-
lement et qui se retrouvent dans les différents centres de femmes
pour des activités de ressourcement ; les femmes des Premières
Nations et les femmes immigrantes. Les belles analyses de théories
féministes laissent ces femmes indifférentes. Les militantes responsables de ces services ont donc souvent une vision différente du féminisme, plus proche de ces femmes que la révolution féministe a
laissées sur le carreau.

Comme ces militantes sont maintenant membres de la FFQ, leur
influence commence à se faire sentir aux congrès. C'est sans doute
pour cette raison que cette association importante procède à ce
moment à un virage significatif. En 1994, lors d'un congrès, le fonctionnement traditionnel de la FFQ est remis en question afin de

donner davantage d'importance aux groupes de plus en plus nombreux qui en font désormais partie : on veut diminuer l'influence des membres individuelles, accepter de nouvelles catégories de membres, intégrer des tables de concertation de chaque région, accueillir des groupes de femmes doublement discriminées : lesbiennes, autochtones, immigrantes, handicapées. La majorité des membres de la FFQ sont maintenant des salariées qui travaillent pour le mouvement des femmes.

« Un vent de renouveau souffle sur la FFQ », proclame une journaliste en 1994.

Toutefois, plusieurs anciennes militantes, celles qui ont porté bénévolement la FFQ à bout de bras dans les conseils régionaux durant plus d'un quart de siècle, se sentent flouées et quittent l'association. C'est alors qu'arrive à la présidence de la FFQ Françoise David, coordonnatrice de l'R des centres de femmes. Elle vient remplacer au pied levé la présidente, Céline Signori, qui a décidé de se présenter pour le Parti québécois aux élections de 1994.

Françoise David apporte au mouvement féministe une analyse davantage axée sur les problèmes économiques des femmes. Son passage dans les groupes de gauche des années 1970 contribue à colorer sa vision du féminisme. Dans son parcours personnel, elle a mis du temps à endosser les analyses féministes. Or, il se trouve, parmi les projets de la FFQ, un projet de marche contre la pauvreté qui l'enthousiasme. Françoise David précise toutefois :

« Non pas une marche *contre la pauvreté des femmes*, mais une marche *des femmes contre la pauvreté*. »

Elle décide de plonger dans ce projet et entreprend une tournée provinciale pour convaincre les groupes de femmes d'y participer : marcher plus de 200 kilomètres, loger et nourrir 150 personnes, mobiliser plus de 10 000 femmes, formuler des revendications précises à présenter au gouvernement.

La marche Du pain et des roses

Rapidement, on décide d'appeler cette marche *Du pain et des roses*. Ce titre n'est pas anodin : il rappelle la mobilisation historique des femmes. En 1912, à New York, au moment d'une grève, une ouvrière

brandit une pancarte avec ces mots : *We want bread and roses too!*
(« Nous voulons du pain et aussi des roses ») La formule a été reprise
par la suite dans de nombreuses manifestations. La marche Du pain
et des roses se transforme rapidement en un événement rassembleur,
populaire. Mieux, le projet est présenté avec sympathie par les
médias.

Le 26 mai 1995, des centaines de femmes se mettent en marche
en direction de Québec. Elles partent de Montréal et suivent la rive
gauche du Saint-Laurent. Elles partent de Longueuil et traversent la
Montérégie, l'Estrie et le centre du Québec. Elles partent de Rivière-
du-Loup et remontent la rive droite du Saint-Laurent. Dans chaque
ville où elles passent, elles sont rejointes par les militantes de cette
ville qui les accompagnent, les hébergent et les appuient. Rendez-vous
le 4 juin, à Québec, devant l'Assemblée nationale où leurs demandes
sont présentées au premier ministre Jacques Parizeau. Près de
20 000 personnes les attendent, les acclament et chantent avec elles :
« Du pain et des roses, pour changer les choses ! »

Cette marche a considérablement marqué le public, en dépit du
peu de moyens qui y ont été investis. La liste des revendications est
très concrète : un système automatique de perception des pensions
alimentaires ; le gel des frais de scolarité et l'augmentation des bourses
aux étudiants et étudiantes ; la création de 1500 unités de logement
social par année ; l'accès aux services et programmes de formation
générale et professionnelle, avec soutien financier adéquat, pour
toutes les femmes en vue de leur insertion au marché du travail ; un
programme d'infrastructures sociales avec emplois accessibles aux
femmes ; la réduction du temps de parrainage de 10 à 3 ans pour les
femmes immigrantes parrainées par leur mari et l'accès aux programmes sociaux pour les femmes immigrantes victimes de violence
conjugale et familiale ; une loi sur l'équité salariale ; l'augmentation
du salaire minimum.

Dans les années qui suivent, ce programme est en partie réalisé,
grâce à la vigilance des féministes, aux pressions exercées sur le gouvernement et à la collaboration explicite des femmes de tous les partis
qui siègent à l'Assemblée nationale, notamment au moment de l'adoption de la loi sur l'équité salariale en 1996.

En 1995, la marche Du pain et des roses suscite un grand élan de mobilisation féministe à travers le Québec. Les féministes ont décidé de marcher pour sensibiliser la population et le gouvernement à la question de la pauvreté.

Le rassemblement de Beijing

À la fin de l'été 1995, plusieurs féministes québécoises se retrouvent à Beijing pour la 4e Conférence mondiale sur les femmes de l'ONU, après celle de Mexico en 1975, de Copenhague en 1980 et de Nairobi en 1985. Si, durant la première conférence à Mexico, les femmes du Tiers monde avaient été plutôt silencieuses, elles ont progressivement pris la parole et imposé leurs priorités. Déjà à Nairobi, en 1985, elles ont beaucoup influencé les féministes occidentales, qui sont rentrées chez elles persuadées que ce n'est pas en imitant les femmes des pays développés que ces femmes trouveraient une solution à leurs difficultés. Mais à Beijing, les associations de la base sont refoulées à la marge. La Conférence est de nouveau dominée par quelques Occidentales blanches, notamment des femmes de la droite conservatrice américaine. Dans cet océan de délégations africaines, sud-américaines, asiatiques, les femmes blanches sont devenues une minorité visible, mais ce sont elles qui contrôlent les institutions de l'ONU. À Beijing, on remarque également des représentants de courants religieux, des différents fondamentalismes, catholique, évangéliste, musulman. Le rapport final n'est pas adopté par tous les gouvernements, et est accompagné de dizaines de déclarations minoritaires faisant fi des acquis du féminisme.

Le référendum de 1995

Le retour au Québec se fait dans l'atmosphère d'un nouveau référendum sur la souveraineté québécoise, à l'automne 1995. Les féministes québécoises vont-elles de nouveau se diviser? Les Yvettes vont-elles faire parler d'elles cette fois encore? Oh non! Les Yvettes sont bel et bien enterrées. Et, comme en 1980, les femmes et les féministes ne sont pas unanimes devant la question référendaire. Seules les souverainistes associent la libération du Québec et l'autonomie des femmes. Le slogan de 1970 est toujours vivant: «Pas de libération des femmes sans libération du Québec. Pas de libération du Québec sans libération des femmes».

Un groupe de femmes souverainistes, dans l'objectif de rejoindre les femmes qui sont peu nombreuses aux assemblées organisées par le camp du OUI et le camp du NON, louent un autobus pour parcourir le Québec. Elles sont 44, en provenance de toutes les régions du Québec. C'est la Caravane de la souveraineté, avec un magnifique slogan: «Parler à haute voix au lieu de murmurer notre existence».

Elles font 4000 kilomètres en 10 jours. Par l'entremise des groupes féministes et des femmes syndicalistes, elles sont accueillies un peu partout avec des activités variées: dîner-conférence, pièce de théâtre, prise de parole, discussions. L'enthousiasme est grand: rencontre festive en Estrie, rassemblement monstre à Longueuil, assemblées chaleureuses au Saguenay et en Abitibi, mais aussi rencontre clandestine dans l'Outaouais, sur le bord d'une route... tant l'option souverainiste y est décriée. Le tout se termine par une soirée mémorable à Montréal, au Club Soda: *Souveraines*, animée par Hélène Pednault. C'est à cette occasion que Pauline Julien, l'égérie des causes féministe et souverainiste, prend la parole pour la dernière fois en public.

Du côté des forces fédéralistes, tout comme en 1980, si des femmes participent à la campagne référendaire, elles ne le font pas au nom des femmes, ni pour des objectifs ouvertement féministes.

Le résultat incroyable, la très mince victoire du NON (50,58 %) inaugure une période morose pour le Québec. Dans les discussions entourant l'économie sociale, le déficit zéro, les nouveaux enjeux planétaires, la tentation est grande dans plusieurs milieux d'accuser les féministes d'avoir rompu le vieil équilibre du monde, d'avoir provoqué des changements et des problèmes insolubles. Les féministes, entend-on souvent dire, sont allées trop loin. Cette opinion conforte les forces de la droite et se trouve à exprimer une des nombreuses formes qu'a prises l'antiféminisme au tournant du millénaire.

Malgré tout, on souhaite revivre l'enthousiasme de la marche Du pain et des roses. Puisque l'heure est à la mondialisation, la FFQ lance le projet d'une marche mondiale des femmes. **Les féministes québécoises vont-elles réussir à rallier les femmes du monde entier ?**

33

La Marche mondiale des femmes en l'an 2000

En 1995, après le succès de la marche Du pain et des roses, organisée au Québec par la Fédération des femmes du Québec, plusieurs militantes de la FFQ, dont la présidente Françoise David, se sont retrouvées à Beijing, pour le quatrième rassemblement international organisé par l'ONU. Devant le dynamisme qui caractérise alors les rencontres parallèles, en marge des discussions officielles à Beijing, ces militantes conçoivent l'idée d'une marche qui rassemblerait les femmes du monde entier. En effet, c'est au niveau international, que le besoin se fait sentir d'un mouvement qui mobiliserait les femmes de la base, et non pas uniquement les spécialistes blanches et riches qui contrôlent les organismes internationaux. De retour au Québec, elles jettent les bases de ce projet ambitieux : la Marche mondiale des femmes en l'an 2000.

Cet événement vient mobiliser une nouvelle armée de militantes : non plus les bourgeoises philanthropes de la première moitié du siècle dernier, ni les professionnelles diplômées de la seconde moitié du XXe siècle, mais les femmes de la base et, surtout, celles de tous les pays. Un travail colossal est abattu : trouver des commanditaires, organiser des rencontres préparatoires, héberger gratuitement les déléguées en provenance de l'étranger, préparer les documents, organiser la publicité, assurer la coordination.

Comment ne pas souligner le caractère extraordinaire de cette initiative du Québec, et qui a reçu à travers le monde une réponse exceptionnelle ? Plus de 6000 groupes de femmes, en provenance de 161 pays, ont été mobilisés. On a dénombré 114 coordinations nationales qui ont organisé 50 marches nationales. Entre le 15 et le 17 octobre 2000, les femmes ont marché sur toute la planète. Elles

En 2000, la FFQ organise un événement international : La Marche mondiale des femmes en l'an 2000. Plus de 6000 groupes de femmes, en provenance de 161 pays, sont mobilisés. On dénombre 114 coordinations nationales qui organisent 50 marches nationales. Entre le 15 et le 17 octobre 2000, des milliers de femmes marchent partout sur la planète.

ont obtenu une rencontre avec le Secrétaire général des Nations unies, avec le président de la Banque mondiale et avec le directeur exécutif du Fonds monétaire international à New York. Elles ne se rendaient pas à des rendez-vous fixés par les dirigeants : elles les obligeaient à discuter avec elles.

Cinq ans plus tard, en 2005, un autre projet international a suivi, en ligne directe avec cette marche mondiale, l'adoption de la *Charte mondiale des femmes pour l'humanité*. Ce projet a traversé un long processus de rédaction, de discussion, d'adoption et de proclamation. Avec la *Charte mondiale des femmes pour l'humanité,* c'est un nouveau mouvement international qui se met en place. Ses objectifs (Égalité, Liberté, Solidarité, Justice, Paix) proposent un programme global. « Les valeurs qui y sont défendues forment un tout. Elles sont égales en importance, interdépendantes, indivisibles ; la place qu'elles occupent dans la Charte est interchangeable. »

Cette fois, des millions de femmes sont mobilisées. Ce sont vraiment les femmes qui travaillent sur le terrain, sur tous les fronts de l'économie, de la santé, de la protection et de l'éducation. Le 8 mars 2005, une marche à relais part de São Paulo au Brésil, pour arriver en décembre à Ouagadougou au Burkina Faso. Un secrétariat permanent est mis en place et est présentement logé au Brésil.

Comment expliquer l'émergence d'un courant international puissant à partir du Québec ? Dans les *favelas*, les bidonvilles, les régions rurales de l'Afrique, les mégapoles asiatiques, dans les communautés autochtones des diverses nations, le Québec fait désormais figure de phare pour porter un nouvel espoir. Le fait que le Québec ne soit pas une nation colonisatrice et n'ait provoqué aucune guerre joue vraisemblablement un rôle. En outre, le fait que le discours se centre sur la pauvreté et la violence rejoint facilement les femmes des pays en voie de développement ; celles-ci n'ont que faire du discours sur l'égalité des grands organismes internationaux dominés par les Blanches. Il semble bien que féminisme conduit à une réévaluation des principes fondateurs de la démocratie moderne. Il semble bien aussi qu'il faille repenser les idées de liberté, d'égalité et de solidarité, afin qu'elles puissent englober enfin toutes les femmes.

De nouveaux groupes radicaux

Les jeunes femmes sont-elles touchées par ces grands projets ? Comme les jeunes femmes des années 1960, plusieurs d'entre elles croient qu'elles ont des causes bien plus importantes à défendre. L'avenir de la planète les préoccupe et elles rejoignent les groupes écologistes. Elles se retrouvent dans le mouvement altermondialiste et vont volontiers manifester à l'occasion des grands rassemblements des décideurs de l'économie mondiale. Plusieurs vont travailler dans les pays en voie de développement et en reviennent profondément scandalisées par le fossé qui sépare les pays du Nord et ceux du Sud. Toutes ces actions, elles les accomplissent en compagnie des garçons de leur âge.

Sur les campus universitaires et collégiaux apparaissent de nouveaux groupes dans le mouvement féministe. Comme à la fin des années 1960, ces jeunes femmes mettent en question l'image traditionnelle de la féminité. Elles contestent aussi l'image des féministes. Elles adoptent le style grrrl : piercings, tatouages, cheveux fluo. Elles revendiquent le droit d'être rondes, agressives, sexuelles. De plus en plus, elles se mobilisent surtout sur des enjeux qui dépassent les frontières. Elles sont conscientes que le féminisme se heurte au noyau dur du capitalisme et du patriarcat mondial. Pour plusieurs, le féminisme se vit désormais au niveau international.

Provocatrices, elles le sont, et les noms de leurs groupes en témoignent : **Adieu Capriarcat**, les **Sorcières**, les **Insoumises**, les **Amères Noëlles**, les **Blood Sisters**. Les **Lucioles** se spécialisent dans la production de vidéos engagés. Des collectives se forment dans les universités, autour des programmes d'études féministes, dans les cégeps. On institue un **Comité jeunes de la FFQ,** qui organise, en 2003, le rassemblement *S'unir pour être rebelles*. Ces jeunes femmes se proclament féministes radicales, comme les féministes du tournant des années 1970. Mais ces groupes produisent non plus des revues mais des zines, des DVD, et y proposent des analyses sociales, économiques et politiques dans un langage-choc.

Certains de ces nouveaux groupes de féministes radicales sont issus du mouvement altermondialiste. Ce mouvement ressemble beaucoup aux groupes de gauche qui s'étaient élevés, à la fin des

De nouveaux groupes de féministes radicales apparaissent, surtout à Montréal, au tournant de l'an 2000 : Adieu Capriarcat, les Sorcières, les Lucioles, les Insoumises, les Amères Noëlles, les Blood Sisters, Némésis. Cette affiche est celle du Rassemblement des jeunes féministes en 2003, organisé par le comité-jeunes de la FFQ.

années 1960, au nom de la libération des peuples, des groupes sociaux défavorisés, contre le capitalisme. Or, de la même manière que les mouvements de libération des femmes sont apparus à ce moment-là parce qu'elles n'arrivaient pas à imposer leurs idées, plusieurs groupes de femmes se détachent des grands regroupements altermondialistes pour former des groupes autonomes. En voici un exemple.

Un mouvement est né, en 1999, pour contrer les visées de l'AMI (Accord mondial sur les investissements), qui aurait permis aux grands investisseurs d'être protégés de toute ingérence politique. Ce mouvement mondial de protestation a abouti à l'échec de cet « Accord » à Seattle. Le groupe québécois qui participe à ce mouvement international se nomme SalAMI, et plusieurs jeunes femmes en font partie. Elles ont d'abord organisé des ateliers de formation féministe. Bientôt, insatisfaites de la place qu'on leur accorde, elles forment un comité-femmes en 2000. Deux ans plus tard, elles se retirent de SalAMI et

Depuis 1997, la FFQ a mis en place un comité-jeunes. La FFQ se trouve
ainsi en contact avec les nouveaux groupes qui apparaissent un peu partout.
Plusieurs de ces jeunes ont joué un rôle dynamique lors de la soirée du
40e anniversaire de la FFQ en 2006.

forment **Némésis.** Comme au tournant des années 1970, ces féministes sont très conscientes de l'importance des problèmes liés aux
enjeux de classe et de race, tandis que les grands mouvements altermondialistes ne manifestent pas beaucoup d'enthousiasme à admettre
aussi la réalité du sexisme. Elles n'ont pas le choix de se séparer des
groupes mixtes pour défendre les objectifs qui concernent les femmes.
**Quels sont les débats qui préoccupent les féministes au début du
XXIe siècle ?**

34

Les nouveaux débats féministes

On se souvient qu'à la fin des années 1960 les femmes actives à la Fédération des femmes du Québec, récemment fondée, étaient confiantes d'obtenir, en se constituant en groupe de pression, leurs demandes les plus légitimes. C'est dans cet esprit qu'elles avaient exigé la création du Conseil du statut de la femme dès 1970. Toutefois, l'irruption des groupes autonomes de femmes la même année, groupes qui proposaient une analyse radicale de ce qu'ils nommaient l'oppression des femmes, a complètement bouleversé la scène féministe. La liste des revendications s'est donc considérablement allongée. Peu après, une multitude de services féministes se sont mis en place comme nous venons de le voir.

Une situation analogue est maintenant en train de se produire. Les nouvelles féministes ne se reconnaissent pas vraiment dans certaines positions féministes qu'elles associent à un nouveau puritanisme. De nouveau, l'*agenda* des féministes va se modifier et susciter des divergences au sein du mouvement des femmes. Désormais, il faudra parler des *féminismes*. Ce chapitre se contentera de présenter rapidement quelques questions difficiles qui ont émergé depuis une douzaine d'années et qui secouent le mouvement féministe. La situation n'est pas nouvelle: le xxᵉ siècle a connu une foule de débats qui, à un moment donné, ont séparé les féministes: le vote des femmes, le travail salarié des femmes, le salaire au travail ménager, l'avortement, les garderies, le patrimoine familial, les programmes d'accès à l'égalité, l'orientation sexuelle. On ne peut pas entreprendre de changer le monde sans se disputer un peu!

Après avoir obtenu le droit de contrôler leur sexualité et leur fécondité, les femmes pouvaient penser que c'en était fini du *double standard* sexuel entre les hommes et les femmes. Et pourtant... plusieurs questions divisent toujours la société tout entière, les femmes et les féministes, et ces questions concernent presque toujours le corps des femmes et l'expression de leur sexualité.

La pornographie

Au milieu des années 1990, le débat sur la pornographie réapparaît sous un jour nouveau, apportant une série de questions inédites. Comment se fait-il que des féministes, qui se sont toujours battues contre la censure, se retrouvent dans le même camp que ceux qui souhaitent instaurer une censure contre la pornographie ? Cette censure ne serait-elle pas l'expression d'un malaise qui pèse encore sur notre culture quand on parle de la sexualité des femmes ? Les femmes ne devraient-elles pas, au contraire, tenter de pénétrer dans cette production pour proposer leurs propres fantasmes, leurs désirs, leurs choix ?

« Plutôt que d'attendre une improbable censure, vaut mieux avoir les outils pour jouir ! »

D'un autre côté, la pornographie ne représente-t-elle pas le médium qui sert le plus souvent à l'initiation sexuelle des adolescents, et ne contribue-t-elle pas ainsi à imposer une expression essentiellement violente de la sexualité ?

Madonna est-elle une héroïne féministe ? L'égalité entre les femmes et les hommes ne doit-elle pas s'exprimer aussi dans le phénomène de la pornographie, pour contrer justement les images avilissantes des femmes qui s'y retrouvent le plus souvent objets ? Aussi, cette égalité formelle n'est-elle pas limitée à un petit nombre de femmes, laissant la majorité d'entre elles et les adolescentes aux prises avec un marché pornographique envahissant qui stimule la violence dirigée contre les femmes ? Questions difficiles, auxquelles les réponses se font toujours attendre.

Les travailleuses du sexe

Dès l'avènement du néoféminisme, dans les années 1970, des prostituées se sont regroupées à Lyon en France, à Los Angeles aux États-Unis, pour contribuer à défendre les droits des femmes qui travaillent

Stella, l'organisme qui défend les droits des travailleuses du sexe, s'affilie à la Fédération des femmes du Québec en 1999. Les féministes sont profondément divisées sur la réalité de la prostitution. Quant aux militantes de Stella, elles n'hésitent pas à s'associer au mouvement féministe : cette photo a été prise le 8 mars 2001.

dans l'industrie du sexe : danseuses, escortes, prostituées. À Montréal, après plusieurs tentatives, les travailleuses du sexe se sont regroupées en association en 1992. Par la suite, en 1995, elles ont mis sur pied **Stella**, un organisme qui travaille à améliorer leurs conditions de travail. Les militantes et les intervenantes de Stella dénoncent la législation qui encadre la prostitution et contribue à criminaliser l'exercice de ce travail. Elles critiquent le discours majoritaire qui impose une image stéréotypée de la putain. Elles développent des moyens de protéger la santé des travailleuses contre le sida et les ITS (infections transmises sexuellement).

Lorsqu'en 1999 Stella a adhéré à la Fédération des femmes du Québec, les féministes se sont divisées. Pour plusieurs, la prostitution est essentiellement une aliénation et ne saurait être considérée comme un travail, même librement choisi. Celles-ci soutiennent donc l'abolition de la prostitution. Pour un groupe de féministes beaucoup moins nombreuses, la prostitution doit être permise. Les femmes peuvent choisir d'exercer ce métier. Les prostituées sont des femmes que l'on doit soutenir, car leur combat concerne le droit de monnayer des services sexuels dans la sécurité et la dignité. Selon cette optique, la prostitution doit être décriminalisée, mais par ailleurs réglementée de manière à éviter l'exploitation des femmes qui ne l'ont pas choisie. On pense ici à la prolifération internationale du trafic des femmes et des petites filles, au tourisme sexuel et aux réseaux qui sévissent sur Internet.

Doit-on permettre ou interdire la prostitution ? Les deux camps se disputent depuis le début des années 1990, à grands coups de statistiques, de dénonciations, d'accusations. Le 18 juin 2005, deux assemblées se déroulent au même moment, dans deux lieux différents à Montréal. Les membres de Stella célèbrent leur 10e anniversaire et font le bilan de leurs activités d'aide, de référence, d'information, de pressions politiques. En même temps, une **Concertation des luttes contre l'exploitation sexuelle** se met en place pour « contrer le discours de banalisation de la prostitution et de légitimation de l'industrie du sexe à l'échelle planétaire ». La guerre est ouverte, et deux réseaux internationaux défendent chacun une position différente : la **Coalition Against Traffic of Women** (CATW, 1991) est abolitionniste, tandis que la **Global Alliance against Traffic in Women** (GAATW, 1994) réclame la décriminalisation de tous les aspects de la prostitution qui résultent d'une décision personnelle. L'émotivité qui caractérise ce débat en dit long sur la fragilité d'une opinion qui tente d'exorciser le vieux schéma qui enferme les femmes entre deux images symboliques opposées, la mère et la putain.

L'hypersexualisation des filles

En 2000, le magazine *Châtelaine* célèbre son 40e anniversaire par un numéro spécial de près de 300 pages, dans un déluge de publicité (162 pages !) axée sur la beauté en petits pots et sur des images de femmes jeunes et minces, retouchées et glamourisées. Ce numéro anniversaire procède à la récapitulation de l'histoire du magazine, qui réfère forcément à l'évolution des femmes durant la même période. Cette présentation se trouve noyée dans la futilité et la superficialité. Au centre du magazine, un article emblématique, « L'ère des Lolitas », pose la question de la tenue vestimentaire des préadolescentes. C'est le débat de l'heure : l'hypersexualisation des petites filles, nouvel épisode des prescriptions qui assignent les femmes à la beauté et à la séduction !

« Pour moi, l'attitude des petites filles et la façon dont elles s'habillent révèle quelque chose de très positif. Elles projettent une image sexy mais affirmative. Oui elles veulent qu'on les regarde, mais dans le but de s'affirmer, pas de s'exhiber. Le féminisme a porté ses fruits. Les filles prennent leur place et s'érotisent un peu », explique une professeure de danse.

Toutefois, plusieurs personnes déclarent :

« L'hypersexualisation des filles est un échec majeur du féminisme. »

Car nombreuses sont celles qui dénoncent l'invitation à l'érotisation des petites filles, laquelle traduit une incitation à la consommation, une accentuation de la vulnérabilité des jeunes filles, et une version nouvelle de la soumission des femmes au regard des hommes. Comment comprendre l'attitude des mères qui achètent de tels vêtements à leurs fillettes prépubères ?

Les adolescentes elles-mêmes sont interpellées par la question. Une étudiante de 14 ans, Léa Clermont-Dion fait des conférences à Montréal en 2006 pour alerter les filles de sa génération. Plusieurs prennent la parole dans les médias pour dénoncer cette nouvelle tendance, font signer des pétitions, font retirer certains magazines des bibliothèques.

« Pour moi, ça passe par une prise de conscience. C'est de cette façon que je me suis ouverte au féminisme », explique Charlotte Comtois, une autre étudiante du secondaire.

Si une adolescente s'attire des attouchements, des regards ou des remarques à cause de son allure *sexy*, elle riposte :

« Heille ! C'est quoi le problème ? »

Conscientes que c'est le fait d'être jeunes qui leur permet de porter ces vêtements, elles en profitent parce qu'elles veulent se sentir belles. Mais elles tiennent à distance ceux qui interprètent leur tenue comme une marque de disponibilité.

Peu de gens cependant notent que, dans toute cette affaire, ce sont toujours les filles qui sont critiquées. Personne ne remet en question les comportements des garçons. Pas même les féministes, alors que

226 • Au travail pour changer le monde

ce sont elles qui sont parties en guerre contre les abus de cette mode.

Le voile islamique

La présence au Québec de nouvelles minorités culturelles vient de nous propulser dans des débats qu'on croyait réservés aux pays en voie de développement. Devons-nous accepter que plusieurs femmes de ces communautés portent l'un ou l'autre des voiles qui leur sont assignés : tchador, hidjab, voire burka ? Les féministes sont divisées. Il faut le tolérer, si cela permet aux jeunes filles de poursuivre leurs études, disent les unes, et notamment le Conseil du statut de la femme. On peut l'accepter dans la vie privée, mais l'interdire complètement dans les lieux de travail, pensent les autres. Des femmes musulmanes viennent témoigner de leurs idées féministes et prient leurs consœurs québécoises de les laisser mener leur combat à *leur* manière, même si elles portent le voile. On doit l'interdire à cause du symbole d'aliénation et de contrôle des femmes qu'il représente, pensent certaines. Ou encore parce que c'est un signe religieux et que la religion n'a pas sa place dans l'espace public. Qu'il est difficile de voir clair dans ce débat ! Mais on ne peut s'empêcher de comprendre qu'encore une fois, c'est le corps des femmes qu'on veut dissimuler à cause de la soi-disant difficulté des hommes à contrôler leur sexualité, à cause de leur prétention à s'approprier le corps des femmes.

Ne convient-il pas d'ajouter que ces deux règles vestimentaires, le vêtement hypersexué des préadolescentes et le voile islamique, relèvent de deux discours opposés qui imposent le regard des hommes sur les femmes, et que ces deux discours ont été intériorisés par les femmes qui se soumettent à ces diktats ? Force est d'admettre que le *double standard* sexuel qui régnait dans la société il y a plus d'un siècle est toujours, sous des visages différents, une des manifestations majeures de l'action du patriarcat. Comme le disent les nouvelles féministes radicales :

« Le corps des femmes est toujours un champ de bataille. »

Il y a donc du pain sur la planche et les enjeux mondiaux ne doivent pas nous faire perdre de vue la fragilité des acquis de la révolution féministe au Québec. Le féminisme s'est renouvelé plusieurs fois en un siècle et il semble bien qu'il soit à la veille d'une transformation de ses effectifs et de ses actions. Plus que jamais, il faudra compter sur la jeune génération. Et elle pourra mieux agir si elle connaît l'histoire de cette lutte séculaire, si elle sait où trouver les informations indispensables. On l'aura compris, c'est l'objectif de ce récit adressé à Camille.

Au travail pour changer le monde

1978 : Réseau des centres d'aide et de lutte contre les agressions à caractère sexuel

1979 : Regroupement des maisons pour femmes victimes de violence conjugale

1980 : Publication de *La Vie en rose*

1984 : Conseil d'intervention pour l'accès des femmes au travail (CIAFT)

1985 : Réseau des centres de santé des femmes

1985 : L'R des centres de femmes du Québec

1986 : Fédération des ressources d'hébergement pour femmes en difficulté

1989 : Affaire Chantale Daigle

1989 : Massacre de Polytechnique

1990 : *Les 50 heures du féminisme*: 50ᵉ anniversaire du droit de vote des femmes

1992 : Colloque *Québec féminin pluriel*

1995 : Marche Du pain et des roses

1995 : Référendum sur la souveraineté du Québec

2000 : La Marche mondiale des femmes

2005 : Adoption de *La Charte mondiale des femmes pour l'humanité*

Épilogue

Elles s'appellent Catherine, Stéphanie, Jessica, Audrey, Alexandra, Émilie, Vanessa, Mélanie, Sabrina. Elles ont 17 ans. Souvent, leurs parents ne se sont pas mariés et sont aujourd'hui séparés. Plusieurs n'ont pas été baptisées. Elles sont presque toutes allées à la garderie. Elles se préparent à entrer au cégep, et plusieurs ont l'intention de poursuivre des études universitaires. Leurs ambitions professionnelles sont multiples : rien ne leur est interdit. Bientôt elles vont vivre en couple sans pour autant se marier, et elles auront sans doute un enfant ou deux, plus tard, après leurs études. Elles ont rapidement expérimenté la sexualité, elles sont *cool*.

Elles sont nées au moment où les Québécoises célébraient le 50e anniversaire du droit de vote. Elles avaient cinq ans au moment de la marche Du pain et des roses, dix ans au moment de la Marche mondiale des femmes en l'an 2000. Il leur semble que les filles ont toujours étudié, comme il y a toujours eu des ordinateurs, des ipods, des DVD, des cellulaires.

Ne peuvent-elles pas choisir de faire les études de leur choix ? Ne peuvent-elles pas s'orienter vers le métier qui leur plaira ? Ne peuvent-elles pas s'engager en politique ? Ne sont-elles pas libérées

Les jeunes femmes du XXIe siècle ont le vent dans les voiles. Elles réussissent à l'école, au collège, à l'université. Sauront-elles transformer ces succès en égalité avec les hommes dans tous les domaines?

de la surveillance étroite qui les limitait dans l'expression de leur sexualité ?

Toutefois, les victoires du féminisme sont fragiles. Les succès scolaires des filles dérangent les autorités. Depuis qu'elles sont majoritaires en médecine, on songe à établir des règles favorisant l'admission des garçons.

Les salaires des femmes sont toujours inférieurs à ceux des hommes et on accuse encore les travailleuses de voler les emplois des hommes. Le monde de l'emploi ne s'est nullement adapté au fait que, désormais, les mères de jeunes enfants sont au travail. Les places en garderies ne sont pas assez nombreuses. Les responsabilités domestiques et familiales demeurent encore essentiellement, en dépit de quelques reportages émus sur les nouveaux papas, la responsabilité des femmes.

Le choix des femmes de pouvoir contrôler leur fécondité est continuellement menacé et l'avortement n'est pas disponible dans toutes les régions. En ce moment même, en 2008, des députés ont entrepris des démarches pour recriminaliser l'avortement.

Le culte de la beauté à tout prix continue de faire des ravages auprès des femmes. On les a même persuadées que c'est « pour elles » qu'elles adoptent à ces régimes, ces chirurgies, ces implants mammaires, ces contraintes vestimentaires. Les jeunes filles et même les fillettes ne se trouvent pas belles.

Trop de femmes vivent encore des situations de violence : les maisons d'hébergement ne suffisent pas à la tâche.

Trop de femmes se heurtent encore au plafond de verre, obstacle invisible qui empêche plusieurs de celles qui le désirent de participer au pouvoir.

Trop d'hommes sont encore réticents à perdre leurs anciens privilèges.

Trop d'hommes déforment les paroles des féministes dans les médias qu'ils continuent de contrôler. Incapables de les tolérer, ils ont fabriqué l'image de la féministe exacerbée et frustrée. Et malheureusement, trop de femmes ont accepté le miroir déformant.

Depuis une décennie, ceux qu'on appelle les masculinistes ont lancé un discours haineux dont le seul objectif est de s'opposer au féminisme, sous couvert de défendre les hommes.

L'écrivaine Anne-Marie Sicotte confie, en prélude à sa remarquable biographie de Marie Gérin-Lajoie :

> Je me croyais plus ou moins féministe. Je ne pouvais m'empêcher de ressentir un insidieux sentiment de gêne à m'avouer féministe, un sentiment qui anticipait ce que les hommes pourraient en penser, la manière dont ils allaient me juger, me catégoriser... Maintenant, en songeant aux femmes d'il y a un siècle, et particulièrement à Marie Gérin-Lajoie, je serai solidaire des femmes d'aujourd'hui et je prendrai au sérieux le travail qu'il reste à faire pour qu'elles et moi devenions vraiment libres.

La rédactrice publicitaire Annie Melançon écrit, en 2008, au début d'un cahier spécial consacré au mouvement des femmes en Estrie :

> Écrire sur le féminisme, ça ne m'était jamais arrivé en vingt ans de carrière. Comme plusieurs, je réalisais peu les impacts des combats de milliers de femmes — appuyées par des hommes — dans ma vie de tous les jours. Vous irez comme moi de surprise en surprise. D'abord de constater que les féministes n'ont rien d'« enragées », que leurs actions répondent vraiment à un besoin pour toute la société. Et que même si beaucoup a été fait, il y a plusieurs gestes à poser pour que toutes aient leur place au soleil. Féministe moi ? Oui, et fière de l'être !

Camille, Catherine, Stéphanie, Jessica, Audrey, Alexandra, Émilie, Vanessa, Mélanie, Sabrina, je souhaite vivement qu'en lisant ce récit, qu'en découvrant cette histoire, vous réagissiez comme Anne-Marie et Annie. J'espère vous convaincre de l'importance de la lutte féministe et je souhaite que cette lecture dissipe toutes les appréhensions associées à cette lutte. Je vous invite à venir rejoindre les rangs de toutes celles qui veulent améliorer la vie pour les femmes ET les hommes. Les bonnes vieilles méthodes de vos arrière-grand-mères sont périmées, et celle de vos mères aussi. D'accord. C'est à vous d'en inventer de nouvelles. Avec un peu de curiosité, vous découvrirez que vous n'êtes pas les seules et que des événements se préparent pour les jeunes Québécoises du XXIe siècle.

Source des citations

Les références de la plupart des citations sont abrégées et renvoient à la bibliographie, où on trouvera la référence complète.

Première partie

Chapitre 2
« élever le niveau... », Marchand, p. 161 ; « Les organisatrices... », Sicotte, p. 136 ; « Les questions religieuses... », Marchand, note 136, p. 263 ; « Voilà le cercle... », *ibid.*, p. 164 ; « À votre goût... », *ibid.*, p. 166 ; « Quelle femme... », Sicotte, p. 114.

Chapitre 3
« Cette découverte... », Pinard, p. 196 ; « ce sont d'horribles... », Sicotte, p. 118 ; « Il ne fait pas bon... », Dumont et Toupin, p. 137 ; « Il semble... », *ibid.*, p. 51 ; « La glace est rompue... », Sicotte, p. 185 ; « célébrer une défaite... », Robert Rumilly, *Histoire de la société Saint-Jean-Baptiste de Montréal, des Patriotes au Fleurdelisé.* Montréal, L'Aurore, 1975, p. 198.

Chapitre 4
« Notre Société de dames... », Béique, p. 227 ; « que la Fédération... », Dumont et Toupin, p. 27 ; « Je ne puis... », Sicotte, p. 211 ; « Les activités... », *ibid.* ; « Les laïques... », M. Dumont, « Avelyne Bengle », *Dictionnaire biographique du Canada* (à paraître) ; « Si vous voulez... », cité dans Danylewycz, p. 190.

Chapitre 5
« La vérité cruelle... », Baillargeon, p. 71 ; « Un principe approuvé... », Sicotte, p. 236 ; « Nous étions un tel objet... », *ibid.*, p. 241.

Deuxième partie

Chapitre 6
« Ils font revivre... », Cleverdon, p. 223 ; « Ceux qui craignent... », Jean Letendre, *Les Cercles de fermières 1915-1930. Un exemple d'encadrement politique d'un mouvement populaire féminin*, Université de Sherbrooke, 1983, p. 211.

Chapitre 7
« Nous réclamons... », Dumont et Toupin, p. 163 ; « Le droit de vote... », *La Bonne Parole*, septembre 1917, p. 1.

Chapitre 8

« Est-ce le bon moment... », Sicotte, p. 342-343 ; « que le féminisme... », cité dans Jean, p. 47-48 ; « Mais vous ne relevez pas... », Sicotte, p. 360.

Chapitre 9

« Le suffrage féminin... », Sicotte, p. 375 ; « Le vote des femmes... », *ibid.*, p. 411 ; « Si on accorde... », Dumont et Toupin, p. 185 ; « Le féminisme est une maladie... », *Le Devoir*, 5 avril 1928 ; « La femme doit déserter... », *ibid.*

Chapitre 10

« Si je suis féministe... », Dumont et Toupin, p. 178 ; « L'homme abolira... », Jean, p. 74 ; « Québec est la risée... », Dumont et Toupin, p. 41 ; « L'injure faite... », Collectif Clio, p. 359.

Chapitre 11

« chômeuses découragées... », Halpern, p. 36 ; « Les infirmières... », cité dans Johanne Daigle, « L'éveil syndical des "religieuses laïques" : l'émergence et l'évolution de l'Alliance des infirmières de Montréal », dans Lavigne et Pinard, p. 120 ; « On ne fait pas... », lors d'une entrevue à la télévision ; « Une femme de peine... », Dumont et Toupin, p. 110 ; « Ces messieurs du gouvernement... », *ibid.*, p. 111 ; « Je respecterais... », *Histoire du mouvement des femmes au Saguenay-Lac-Saint-Jean*, Jonquière, La Chambarde, p. 91 ; « Une femme au grand cœur... », Dumont, 1981, p. 20.

Chapitre 12

« Nous ne sommes pas favorables... », Collectif Clio, p. 364 ; « Notre véritable travail... », Dumont et Toupin, p. 221.

Troisième partie

Chapitre 13

« Ménagères... », Auger et Lamothe, p. 60 ; « De la poêle à frire... », *ibid.*, page de garde ; « Gouverner... », Dumont et Toupin, p. 123.

Chapitre 14

« Depuis que les femmes... », Léon Lebel, *L'État et les associations professionnelles*, p. 13 (brochure de 1944) ; « Madame, puisque... », Auger et Lamothe, p. 104 ; « C'est ça. Vous le donnez... », *ibid.*, p. 104 ; « Le Code civil... », Dumont et Toupin, p. 329.

Chapitre 15

« Les femmes se placent... », Dumont et Toupin, p. 432 ; « Nous n'avons pas... », *ibid.*, p. 281 ; « Il y a une injustice... », *ibid.* ; « Si l'on ne veut pas... », *ibid.*, p. 117 ; les huit citations de la fin du chapitre proviennent du cahier spécial du *Devoir*, 23 juin 1961.

Chapitre 16

« Tout comité... », Paré, p. 54 ; « Est-ce qu'il va falloir... », Réjane Laberge-Colas, « L'incapacité de la femme mariée », *La revue du Barreau*, vol. XIII, 10 décembre 1963 ; « que, s'ils sont d'accord... », Dumont et Toupin, p. 400 ; « Femmes... », *ibid.*, p. 438 ; « Mon objectif... », entendu à la télévision ; « On semble avoir oublié... », archives du Cercle des femmes journalistes.

Chapitre 17

« Réveille-toi... », Dumont et Toupin, p. 439 ; « L'époque des récriminations... », *Le Devoir*, 26 avril 1965, p. 3 ; « Une nouvelle image... » *La Presse*, 26 avril 1965, p. 3 ; « Une nouvelle force... », *La Presse*, 28 avril 1965, p. 4 ; « Non, répond la première... », *Bulletin de la FFQ*, mars 1976, p. 22 ; « La couleur prédominante... », Lamoureux et coll., p. 53 ; « Les associations féminines... », *Le Devoir*, 4 octobre 1966 ; « Le féminisme... », *Le Devoir*, 15 avril 1966.

Chapitre 18

« qu'il n'est pas nécessaire... », Dumont et Toupin, p. 259 ; « Nous ne croyons pas... », *Bulletin de la FFQ*, mars 1976, p. 8 ; « Si moi je suis capable... », Lysiane Gagnon, *Vivre avec les hommes. Un nouveau partage,* Montréal, Québec Amérique, 1983, p. 199 ; « Je souhaite d'abord... », O'Leary et Toupin, tome 1, p. 201.

Quatrième partie

Chapitre 19

« Le féminisme ?... », L. Gagnon, p. 197 ; « Le Front commun des... », O'Leary et Toupin, tome 1, p. 54 ; « Juste le fait... », O'Leary et Toupin, tome 2, p. 329 ; « Ou bien on dit... », *ibid.* ; « J'ai vécu une grande frustration... », *ibid.*, p. 342 ; « Au comité ouvrier... », *ibid.*, p. 349 ; « Les féministes... », Thérèse Casgrain, conversation téléphonique avec une militante en 1971.

Chapitre 20

« Reine un jour... », O'Leary et Toupin, tome 1, p. 72 ; « Nous refusons... », *ibid.*, p. 71 ; « Mariage... », *ibid.*, p. 70 ; « Hein ? Les femmes... », Péloquin, p. 36 ; « Discrimination... », *ibid.*, p. 41 ; « La justice, c'est... », *ibid.* ; « On nous viole... », *ibid.*, p. 42 ; « Votre culture... », O'Leary et Toupin, tome 1, p. 97-98 ; « Être trop... », *Les Têtes de pioche*, p. 115 ; « Un profond sentiment... », *ibid.*

Chapitre 21

« La Commission... », *Rapport Bird*, p. 464 ; « À mon sens... », *ibid.*, p. 483 ; « qui se consacre à la situation... », *ibid.*, p. 470 ; « Notre mémoire... », archives du comité ; « La FFQ est... », *Bulletin de la FFQ*, mars 1976, p. 15 ; « Il faut être riche... », *Bulletin de la FFQ*, novembre 1975, p. 3.

Chapitre 22

« Nous aurons les enfants… », Desmarais, *passim* ; « On ne s'est pas préoccupé… », *La Gazette des femmes*, vol. 1, n° 1.

Chapitre 23

« Ces maisons… », Lacombe, p. 75.

Chapitre 24

« Les femmes de banlieue… », *L'Actualité*, octobre 1972, p. 40 ; « Il est rare d'entendre… », *ibid.* ; « Mon fils juge… », tiré du film *Les Filles du Roy* ; « Je console… », *ibid.* ; « Y a assez de nous… », *L'Actualité*, octobre 1972, p. 48 ; « Les appareils littéraires… », *Liberté*, « La femme et l'écriture », juillet-octobre 1976, p. 34 ; « J'ai mis quelques mois… », *ibid.*, p.77 ; « écrire je suis une femme… », Brossard, p. 53 ; « Après avoir lu… », *Les Têtes de pioche*, p. 135 ; « Le mariage… », Yolande Dupuis, « Francine Larivée et *La Chambre nuptiale* », Sysiphe, 11 avril 2005.

Chapitre 25

« Le féminisme c'est… », slogan de l'époque ; « Vous autres… », entendu dans des salles de cours ; « On devrait… », *Les Têtes de pioche*, p. 156 ; « Là, on pourrait voir… », *ibid.* ; « Nous voulons… », Yanacopoulo, p. 30.

Chapitre 26

« Pour ma part… », Godin, p. 50 ; « Guy pratique… », *ibid.*, p. 52 ; « Il faut avoir le courage… », *ibid.*, p. 53 ; « D'ailleurs, il est… », *ibid.* ; « Lier une femme… », *ibid.* ; « À travers Madeleine… », *ibid.*, p. 54 ; « Si j'ai pu blesser… », *ibid.*, p. 55 ; « Ça peut avoir… », *ibid.*, p. 58 ; « Les péquistes… », *ibid.*, p. 63 ; « Ils ont voulu… », Caron et coll., p. 193 ; « Il fallait… », *ibid.* ; « On voulait leur montrer… », *ibid.* ; « C'était une façon… », *ibid.* ; « Cela nous a permis… », *ibid.* ; « Pour moi, c'était… », *ibid.*

Cinquième partie

Chapitre 27

« Notre véritable… », Dumont et Toupin, p. 222 ; « Si on accorde… », *ibid.*, p. 185 ; « As-tu reçu… », expérience de l'auteure.

Chapitre 28

« Cela a été reçu… », Dumont et Toupin, p. 447 ; « Il s'agit d'une nouvelle… », *La Petite Presse*, juin 1986, p. 3 ; « Quand j'avais le malheur… », *Approches et méthodes de la recherche féministe*, Québec, GREMF, 1986, p. 278 ; « Moi je trouve ça fatigant… », Radio-Canada, CBFT, 19 août 1980, réflexions autour du phénomène des Yvettes ; « Il faudrait veiller… », Dumont et Toupin, p. 149 ; « Homme demandé… », tableau d'affichage, Université de Sherbrooke, 1988 ; « Pour toutes les femmes… », *La Vie en rose*, janvier 1984, p. 11 ; « Si tu y vas… », *La Vie en rose*, février 1985, p. 11 ; « Cette loi crée… », *Histoire des femmes au Témiscamingue*, Collectif témiscamien, 1988, p. 61 ; « Les évêques… », bulletin paroissial de Montréal.

Chapitre 29

« Un magazine couvrant… », *La Vie en rose*, numéro hors série, 2005, p. 7 ; « Aimons-nous les hommes ? », *La Vie en rose*, juin 1982, p. 4 ; « Nous sommes allées… », *La Vie en rose*, numéro hors série, 2005, p. 10 ; « Nous sommes des coureuses… », Godbout, p. 9 ; « Prends-le pas… », *ibid.*, *passim* ; « On ne fait pas… », Pierre Vadeboncœur, *Trois essais sur l'insignifiance*, Montréal, L'Hexagone, 1983, p. 62.

Chapitre 30

« [les féministes] ont raison… », Georges-Hébert Germain, « Le syndrome du bourdon », *L'Actualité*, avril 1984, p. 44 ; « Les hommes… », *ibid.* ; « Sous la douche… », *ibid.* ; « Le féminisme… », *ibid.*, p. 46 ; « Il y a de la tartufferie…. », *ibid.*, p. 47 ; « Il est normal… », Dominique Demers, « Féminisme, mission accomplie ? », *L'Actualité*, déc. 1984, p. 124 ; « Les femmes n'ont pas d'affaire… », entendu à une tribune téléphonique à CHLT (Sherbrooke), 8 mars 1985 ; « Les magazines féminins… », entendu au Centre de santé des femmes de Sherbrooke ; « Oh ! Le féminisme… », entendu à Radio-Canada, *Le Point*, reportage sur la presse féminine ; « Aujourd'hui, le féminisme… », Beauchamp, p. 188 ; « Que font les féministes ?… », *Châtelaine*, mai 1986 ; « Elles sont des femelles… », Desmarais, p. 283 ; « La portée de ce jugement… », *ibid.*, p. 339 ; « Le fœtus… », *ibid.*, p. 350 ; « Vous n'êtes qu'une bande… », rapporté par les médias le 7 décembre 1989 ; « Nous ne sommes pas féministes… », *ibid.* ; « Même si l'épithète… », *La Vie en rose*, numéro hors série 2005, p. 36 ; « Il aurait dû… », *ibid.*, p. 35 ; « On sait de source… », Godbout, p. 225 ; « Les féministes tentent… », entendu dans les médias ; « Ce qui m'étonne… », archives de Radio-Canada, 6 décembre 1989 ; « À côté de ces textes… », Roch Côté, *Manifeste d'un salaud*, Terrebonne, éd. du Portique, 1990 ; « J'ai lu le *Manifeste*… », Louis Cornellier, « Le féminisme et moi », *Le Devoir*, 1er décembre 2007.

Chapitre 31

« À nos vraies mères… », *Femmes en tête*, p. 12 ; « Après le tragique… », *ibid.*, p. 14 ; « J'ai décidé… », *Gazette des femmes*, septembre-octobre 1990. p. 12 ; « Quels événements… », Roch Côté, *Manifeste d'un salaud*, Terrebonne, éd. du Portique, 1990 ; « s'il y a une deuxième… », *La Petite Presse* ; « La société distincte… », Roberts, p. 6 ; « En réalité…. », *ibid.*, p. 13 ; « On a dit aux femmes… », L. Pagé, « Les femmes dans le Québec de demain », *Action nationale*, mai 1991, p. 623 ; « D'un point de vue… », Maillé, p. 64 ; « La glace est rompue… », Sicotte, p. 185 ; « Tu veux dire… », entrevue avec les fondatrices des Pépines.

Chapitre 32

« Le terme "féminisme"… », Guindon, p. 60 ; « Ce mouvement-là… », *ibid.*, p. 64 ; « Peut-être que ça nous… », *ibid.*, p. 76 ; « Si j'avais à choisir… », *ibid.*, p. 89 ; « Un vent de renouveau… », *ibid.*, p. 29 ; « Non pas une marche… », vidéo de Paula McKeown, *Désirs de liberté*.

Chapitre 33

« Les valeurs qui y sont défendues… », document de la *Charte*.

Chapitre 34

« Plutôt que d'attendre… », Breton, p. 122 ; « Pour moi, l'attitude… », *Châtelaine*, octobre 2000, p. 94 ; « L'hypersexualisation… », *Gazette des femmes*, septembre-octobre 2005, p. 19 ; « Pour moi, ça passe… », *La Tribune*, 22 février 2008, p. S3 ; « Le corps des femmes… », Breton, p. 113.

Bibliographie

À l'exception de ces quatre premiers titres, dont la portée est plus générale, la biblio-graphie a été subdivisée suivant les cinq parties du livre, ce qui permet de regrouper les références pertinentes pour chacune des périodes correspondantes de l'histoire du féminisme au Québec.

CARON, Anita et coll. *Thérèse Casgrain. Une femme tenace et engagée*, Montréal, Presses de l'Université du Québec, 1993.

COLLECTIF CLIO. *Histoire des femmes au Québec depuis quatre siècles*, Montréal, éd. du Jour, 1992.

DUMONT, Micheline et Louise TOUPIN. *La pensée féministe au Québec : Anthologie 1900-1985*, Montréal, Remue-ménage, 2003.

JEAN, Michèle. *Québécoises du xxe siècle*, Montréal, éd. du Jour, 1974.

Partie 1 : Les femmes s'organisent

BAILLARGEON, Denyse. *Un Québec en mal d'enfants. La médicalisation de la maternité, 1910-1970*, Montréal, Remue-ménage, 2004.

BÉIQUE, Caroline. *Quatre-vingts ans de souvenirs. Histoire d'une famille*, Montréal, Valiquette, 1939.

DANYLEWYCZ, Marta. *Profession : religieuse. Un choix pour les Québécoises, 1840-1920*, Montréal, Boréal, 1988.

DUMONT, Micheline. « L'accès à l'instruction et à la mixité », dans F. Thébaud et coll. (dir.), *Le siècle des féminismes*, Paris, L'Atelier, 2004, p. 149-162.

FAHMY-EID, Nadia. « La presse féminine au Québec, 1890-1920 : une pratique politique et culturelle ambivalente », dans Y. Cohen (dir.), *Femmes et politique*, Montréal, éd. du Jour, 1981, p. 101-115.

FAHMY-EID, Nadia et Micheline DUMONT. « Recettes pour la femme idéale : Femmes/famille et éducation dans deux journaux libéraux : *Le Canada* et *La Patrie* (1900-1920) », *Atlantis*, vol. 10, n°1, automne 1984, p. 46-59.

LAVIGNE, Marie, Yolande PINARD et Jennifer STODDART. « La Fédération nationale Saint-Jean-Baptiste et les revendications féministes au début du 20ᵉ siècle », dans M. Lavigne et Y. Pinard (dir.), *Travailleuses et féministes : Les femmes dans la société québécoise*, Montréal, Boréal, 1983, p. 199-216.

MARCHAND Joséphine. *Journal intime, 1879-1900*, Montréal, La pleine lune, 2000.

PINARD, Yolande. « Les débuts du mouvement des femmes à Montréal, 1893-1902 », dans M. Lavigne et Y. Pinard (dir.), *Travailleuses et féministes : Les femmes dans la société québécoise*, Montréal, Boréal, 1983, p. 177-198.

SICOTTE, Anne-Marie. *Marie Gérin-Lajoie, conquérante de la liberté*, Montréal, Remue-ménage, 2005.

STRONG-BOAG, Veronica. *The Parliament of Women : The National Council of Women of Canada, 1893-1923*, Ottawa, Musées nationaux du Canada, 1976.

Partie 2 : Les femmes exigent de voter

La Bonne Parole, revue de la Fédération nationale Saint-Jean-Baptiste.

CLEVERDON, Catherine L. *The Woman Suffrage Movement in Canada*, Toronto, University of Toronto Press, 1974.

DARSIGNY, Maryse. *L'épopée du suffrage féminin au Québec (1920-1940)*, Montréal, UQAM/Relais-femmes, 1990.

La femme canadienne-française, Montréal, Almanach de la langue française, 1936.

HALPERN, Sylvie. *Le Chaînon : la maison de Montréal*, Montréal, Stanké, 1998.

JEAN, Michèle. « Idola Saint-Jean, féministe (1880-1945) », dans *Mon héroïne*, Montréal, Remue-ménage, 1981, p. 117-148.

LAMOUREUX, Diane. *Citoyennes ? Femmes, droit de vote et démocratie*, Montréal, Remue-ménage, 1989.

LAVIGNE, Marie, Yolande PINARD et Jennifer STODDART. « La Fédération nationale Saint-Jean-Baptiste et les revendications féministes au début du 20e siècle », dans M. Lavigne et Y. Pinard (dir.), *Travailleuses et féministes : Les femmes dans la société québécoise*, Montréal, Boréal, 1983, p. 199-216.

SICOTTE, Anne-Marie. *Marie Gérin-Lajoie, conquérante de la liberté*, Montréal, Remue-ménage, 2005.

TRIFIRO, Luigi. « Une intervention à Rome en 1922 dans la lutte pour le suffrage féminin », *Revue d'histoire de l'Amérique française*, vol. 32, n° 1, juin 1978, p. 3-18.

Partie 3 : Devenues citoyennes, les femmes tentent de prendre leur place

AUGER, Geneviève et Raymonde LAMOTHE. *De la poêle à frire à la ligne de feu : La vie quotidienne des Québécoises pendant la guerre 39-45*, Montréal, Boréal, 1981.

Le Devoir, cahier spécial, 23 juin 1961.

DUMONT, Micheline. «La parole des femmes: Les revues féminines, 1938-1968», dans F. Dumont et coll. (dir.), *Idéologies au Canada français, 1940-1976*, tome II: *Les mouvements sociaux*, Québec, Presses de l'Université Laval, 1981, p. 5-46.

DUMONT, Micheline. «Historienne et sujet de l'histoire», *Questions de culture*, n° 8, Québec, Institut québécois de recherche sur la culture, 1986, p. 21-34.

DUMONT, Micheline. «The Origins of the Women's Movement in Quebec» dans D.-H. Flaherty et C. Backhouse (dir.), *Challenging Times: The Contemporary Women's Movement in Canada and the United States*, Montréal, McGill-Queen's University Press, 1992, p. 72-89.

GOSSELIN, Cheryl A. *Vers l'avenir. Quebec Women's Politics Between 1945 and 1967: Feminist, Maternalist and Nationalist Links*, thèse de doctorat (histoire), Université de Montréal, 2002.

McKEOWN, Paula. *Désirs de liberté*, vidéo produite par la CEQ, l'Intersyndicale des femmes et Vidéo-femmes, 1995.

PARÉ, Hélène. *Les comités de condition féminine dans les syndicats*, Montréal, Secrétariat d'État, Région du Québec, programme Promotion de la femme, 1983.

Rapport de la Commission Royale d'enquête sur la situation de la femme au Canada, Ottawa, 1970.

RIALLAND-MORISSETTE, Yvonne. *Le passé conjugué au présent, Cercles de fermières du Québec: Historique, 1915-1980*, Montréal, Pénélope, 1980.

Partie 4: La grande ébullition féministe

BOUCHER, Denise. *Les fées ont soif*, Montréal, Intermède, 1978.

BROSSARD, Nicole. *L'amèr* ou *Le chapitre effrité*, Montréal, L'Hexagone, coll. Typo, 1988.

Bulletin de la Fédération des femmes du Québec, collection complète.

COUILLARD, Danielle. *Féminisme et nationalisme. Histoire d'une ambiguïté: L'expérience du Regroupement des femmes québécoises*, mémoire de maîtrise (histoire), Université de Montréal, 1987.

DESMARAIS, Louise. *Mémoires d'une bataille inachevée: La lutte pour l'avortement au Québec*, Montréal, Trait d'union, 1999.

DUMONT, Micheline. «Le mouvement des femmes à Sherbrooke», *Possibles*, vol. 18, n° 4, automne 1994, p. 51-63.

La femme et l'écriture, numéro spécial de *Liberté*, vol. 18, n° 4-5, 1976.

GAGNON, Lysiane. *Vivre avec les hommes. Un nouveau partage*, Montréal, Québec Amérique, 1983.

GODIN, Stéphanie. *Les Yvettes comme l'expression d'un féminisme fédéraliste au Québec*, mémoire de maîtrise (histoire), Université du Québec à Montréal, 2003.

HALPERN, Sylvie. *Le Chaînon: la maison de Montréal*, Montréal, Stanké, 1998.

LACOMBE, Madeleine. *Au grand jour*, Montréal, Remue-ménage, 1990.

LAMOUREUX, Jocelyne, Michèle GÉLINAS et Katy TARI. *Femmes en mouvement: Trajectoires de l'Association féminine d'éducation et d'action sociale. AFÉAS, 1966-1991*, Montréal, Boréal, 1993.

PÉLOQUIN, Marjolaine. *En prison pour la cause des femmes: La conquête du banc des jurés*, Montréal, Remue-ménage, 2007.

O'LEARY, Véronique et Louise TOUPIN. *Québécoises deboutte!*, tome 1: *Une anthologie de textes du Front de libération des femmes (1969-1971) et du Centre des femmes (1972-1975)*, Montréal, Remue-ménage, 1982.

O'LEARY, Véronique et Louise TOUPIN. *Québécoises deboutte!*, tome 2, *Collection complète des journaux (1972-1974)*, Montréal, Remue-ménage, 1983.

Les Têtes de pioche. Journal des femmes, collection complète, Montréal, Remue-ménage, 1980.

YANACOPOULO, Andrée. *Le Regroupement des femmes québécoises, 1976-1981*, Montréal, Point de fuite/Remue-ménage, 2003.

Partie 5: Changer le monde

BEAUCHAMP, Colette. *Le silence des medias*, Montréal, Remue-ménage, 1987.

BEAUCHAMP, Colette, Rosette CÔTÉ et Sylvie PAQUEROT (dir.). *Pour changer le monde: le forum Pour un Québec féminin pluriel*, Montréal, Écosociété, 1994.

BRETON, Émilie et coll. «Mon/notre/leur corps est toujours un champ de bataille. Discours féministes et queers libertaires au Québec, 2000-2007», *Recherches féministes*, vol. 20, n° 2, 2007, p. 113-140.

COLLARD, Nathalie et Pascale NAVARRO. *Interdit aux femmes: Le féminisme et la censure de la pornographie*, Boréal, 1996.

DESMARAIS, Louise. *Mémoires d'une bataille inachevée: La lutte pour l'avortement au Québec*, Montréal, Trait d'union, 1999.

DUMONT, Micheline. *Le mouvement des femmes, hier et aujourd'hui*, Ottawa, ICREF/CRIAW, coll. Perspectives féministes, n° 5-A, 1986.

DUMONT, Micheline. «Réflexions féministes face au pouvoir», dans *Mémoires d'un forum de femmes: Des outils pour agir ensemble*, Montréal, CEQ, 1987, p. 15-21.

DUMONT, Micheline. «Quebec Women and the Contemporary Constitutional Issue», dans F.-P. Gingras (dir.), *Gender and Politics in Contemporary Canada*, McGill-Queen's University Press, 1995, p. 153-173.

DUMONT, Micheline et Stéphanie LANTHIER. «Pas d'histoire, les femmes. Le féminisme dans un magazine québécois à grand tirage: *L'Actualité*», *Recherches féministes: Ils changent... disent-ils*, vol. 11, n° 2, 1998, p. 101-124.

DUMONT, Micheline. «Réfléchir sur le féminisme du troisième millénaire», dans M. N. Mensah (dir.), *Dialogues sur la troisième vague féministe*, Montréal, Remue-ménage, 2005, p. 59-73.

FEMMES EN TÊTE. *De travail et d'espoir: Des groupes de femmes racontent le féminisme*, Montréal, Remue-ménage, 1990.

La Gazette des femmes, collection complète, en particulier le numéro de mars 1994: *Si la tendance se maintient*.

GODBOUT, Lucie. *Les dessous des Folles Alliées: Un livre affriolant*, Montréal, Remue-ménage, 1993.

GUINDON, Geneviève. *Les opinions et les perceptions des jeunes femmes à l'égard du féminisme*, mémoire de maîtrise (sociologie), Université de Montréal, 1996.

LACELLE, Nicole. *À l'école du pouvoir*, Montréal, Remue-ménage, 1999.

MAILLÉ, Chantal. *Cherchez la femme: Trente ans de débats constitutionnels au Québec*, Montréal, Remue-ménage, 2002.

MALETTE, Louise et Marie CHALOUH (dir.). *Polytechnique, 6 décembre*, Montréal, Remue-ménage, 1990.

La Petite Presse, revue de la Fédération des femmes du Québec, collection complète.

QUÉNIART, Anne et Julie JACQUES. *Apolitiques, les jeunes femmes?*, Montréal, Remue-ménage, 2004.

ROBERTS, Barbara. *Beau fixe ou nuage à l'horizon: L'Accord du lac Meech jugé par les groupes féministes du Québec et du Canada*, Ottawa, ICREF/CRIAW, coll. Perspectives féministes, n° 12.

TOUPIN, Louise. «Analyser autrement la "prostitution" et la "traite des femmes"», *Recherches féministes*, vol. 19, n° 1, 2006, p. 153-176.

TOUPIN, Louise. «La scission politique du féminisme international sur la question du "trafic des femmes": vers la "migration" d'un certain féminisme radical», *Recherches féministes*, vol. 15, n° 2, 2002, p. 9-40.

VERDIÈRE, Brigitte. *Femmes en marche: regards sur les actions et revendications de la Marche mondiale des femmes*, Montréal, Marche mondiale des femmes/Remue-ménage, 2002.

La Vie en rose, collection complète (1980-1987) et numéro hors série, Montréal, Remue-ménage, 2005.

Crédits des illustrations

p. 14 : Collection privée.

p. 24 : Tirée de Henry James Morgan, *Types of Canadian Women and of Women Who Are or Have Been Connected with Canada*, vol. 1, Toronto, William Briggs, 1903.

p. 26 : Tirée de *Le Monde illustré*, vol. 1, n° 4, p. 25, 31 mai 1884. Bibliothèque et Archives nationales du Québec.

p. 27 : Avec l'autorisation des Éditions de la Pleine Lune.

p. 28 : Harold Mortimer-Lamb, Bibliothèque et Archives Canada, PA 212948.

p. 31 : Conseil national des femmes du Canada, Bibliothèque et Archives nationales du Québec.

p. 32 : William James Topley, Bibliothèque et Archives Canada, PA 028033.

p. 33 : Tirée de Henry James Morgan, *Types of Canadian Women and of Women Who Are or Have Been Connected with Canada*, vol. 1, Toronto, William Briggs, 1903, Bibliothèque et Archives nationales du Québec.

p. 36 : Marie Lacoste-Gérin-Lajoie, Arless, 4 novembre 1895, Bibliothèque et Archives nationales du Québec, Direction du Centre d'archives de Montréal, Collection Institut Notre-Dame du Bon-Conseil de Montréal, P783,S2,SS9,P2/U.2.2.2

p. 38 : *La Patrie*, 27 mai 1907, p. 1. Reproduction autorisée par Gilles Brown des Éditions Musicobec.

p. 44 : Archives du CHU Sainte-Justine.

p. 52 : William Notman & Son Ltd, Collection Cleverdon, Catherine L., Bibliothèque et Archives Canada, C 68506.

p. 59 : Bibliothèque et Archives nationales du Québec – Série Revues anciennes, n° 2688, séquence 2747242.

p. 61 : Bibliothèque et Archives Canada – PA 127291.

p. 61 : *La Patrie*, 10 février 1922. Reproduction autorisée par Gilles Brown des Éditions Musicobec.

p. 64 : Congrès de l'Union internationale des Ligues catholiques féminines, photographe inconnu, 1922, Bibliothèque et Archives nationales du Québec, Direction du Centre d'archives de Montréal, Collection initiale, P318,S2,P56.

p. 73 : *La Patrie*, 1937. Reproduction autorisée par Gilles Brown des Éditions Musicobec.

p. 76 : Coupure de presse « Femmes sandwich militant pour le droit de vote », anonyme, 1929, Bibliothèque et Archives nationales du Québec, Direction du Centre d'archives de Montréal, Collection Institut Notre-Dame du Bon-Conseil de Montréal, P783,S2,SS9,P2/E.10.

p. 81 : Conseil de la Ligue des droits de la femme, photographié lors d'une assemblée en 1941 à l'Hôtel Windsor de Montréal, Archives/*La Presse*.

p. 83 : Femme pompiste, 1941, Fonds Conrad Poirier, Archives nationales du Québec à Montréal, P48, S1, P7079.

p. 88 : Affiche tirée de Geneviève Auger et Raymonde Lamothe, *De la poêle à frire à la ligne de feu. La vie quotidienne des Québécoises pendant la guerre '39-'45*, Montréal, Boréal, 1981, p. 3.

p. 89 : Affiche tirée de Geneviève Auger et Raymonde Lamothe, *De la poêle à frire à la ligne de feu. La vie quotidienne des Québécoises pendant la guerre '39-'45*, Montréal, Boréal, 1981, p. 52.

p. 104 : Archives de la famille Chartrand.

p. 108 : Conférence de presse de Claire Kirkland-Casgrain, ministre du Tourisme, de la Chasse et de la Pêche, Gabor Szilasi 1971, Bibliothèque et Archives nationales du Québec, Centre d'archives de Montréal, Fonds du ministère de la Culture et des Communications, E6,S7,SS1,D710131.

p. 110 : Archives de la Fédération des femmes du Québec.

p. 112 : Archives de l'Association féminine d'éducation et d'action sociale (AFÉAS).

p. 127 : *Québécoises deboutte !*, tome 1, Montréal, Remue-ménage, 1982, p. 72.

p. 130 : *Québécoises deboutte !*, vol. 1, n° 1, novembre 1971.

p. 134 : Archives de la Fédération des femmes du Québec.

p. 140 : Archives de la Fédération du Québec pour le planning des naissances.

p. 149 : Théâtre du Nouveau Monde, Fonds André Le Coz, P29/M105, Service des bibliothèques et archives de l'Université de Sherbrooke.

p. 150 : Photographie de Kèro, tirée du livre *Au fond des yeux, 25 Québécoises qui écrivent*, Montréal, Nouvelle Optique, 1981.

p. 152 : Lit-tombeau dans la salle 2, chambre-chapelle, tirée de l'œuvre *La Chambre nuptiale* de Francine Larivée, réalisée en collaboration avec l'équipe du Groupe de recherche et d'action sociale par l'art et les médias (GRASAM), 1976, 9,25 mètres de diamètre par 6,15 mètres de hauteur, matériaux : médias mixtes. Photo : Marc Cramer, Collection des sculptures de l'œuvre au Musée d'art contemporain de Montréal, Collection des peintures de l'œuvre au Musée de la civilisation de Québec.

p. 159 : *Les Têtes de pioche*, vol. 2, n° 3, mai 1977.

p. 160 : *L'Autre Parole,* n° 1, 1976 ; *Pluri-elles,* bulletin de liaison des groupes autonomes de femmes, vol. 1, n° 6, juin 1978 ; *Des luttes et des rires de femmes,* bulletin de liaison des groupes autonomes de femmes, vol. 2, n° 1, octobre-novembre 1978 ; *Communiqu'Elles,* vol. 16, n° 5, septembre 1989.

p. 161 : *Pour les Québécoises : égalité et indépendance,* 1978. Reproduction autorisée par Les Publications du Québec.

p. 162 : Premier numéro de la *Gazette des femmes.* Reproduction autorisée par Les Publications du Québec.

p. 164 : Réunion des ministres Denis Lazure et Lise Payette, Hôtel Constellation, Montréal, Henri Rémillard 1980, Bibliothèque et Archives nationales du Québec, Centre d'archives et des communications, E6,S7, SS1,D8005923.

p. 168 : *La Tribune,* 22 avril 1980, p. A1. Société d'histoire de Sherbrooke.

p. 177 : Fédération des femmes du Québec, *La Petite Presse,* vol. 5, n° 5, mars 1986.

p. 184 : Affiche produite pour le compte du Front commun intersyndical (CSN-FTQ-CEQ) à l'occasion du 8 mars 1982 et réalisée (photographe et maquette graphique) par Graveline et Champagne.

p. 189 : Conception/réalisation par le collectif La Vie en rose.

p. 190 : Sand Northrup, collection privée.

p. 202 : Archives de la Fédération des femmes du Québec.

p. 212 : Archives de la Fédération des femmes du Québec.

p. 216 : Archives de la Fédération des femmes du Québec.

p. 219 : Conception Élise Gravel, Archives de la Fédération des femmes du Québec.

p. 220 : Archives de la Fédération des femmes du Québec.

p. 223 : Archives Stella.

p. 229 : Collection privée.

Remerciements

L es personnes que je veux remercier sont si nombreuses que j'ai la certitude que je vais en oublier et je m'en excuse : il y avait trop de papiers sur ma table de travail, trop de noms gribouillés dans mon carnet d'adresses, trop de listes de choses à faire autour de l'ordinateur.

Mes éditrices, bien sûr, Élise Bergeron et Rachel Bédard, à la patience infinie et au travail professionnel si minutieux et intelligent. Sans oublier Erika Fixot, une stagiaire, qui a mené avec brio le dossier complexe des illustrations. Elles m'ont fait confiance et elles ont même annoncé mon livre alors qu'il n'était pas encore terminé tandis que je peinais à organiser un matériel si abondant que j'avais du mal à m'y retrouver. Et examinez bien ma bibliographie : qu'aurais-je fait sans les dizaines de livres qu'elles ont publiés au cours des décennies !

Mes lectrices, Camille Johnson, étudiante au secondaire, Frédérique Blache-Pichette, étudiante au cégep, Valérie Dubé, étudiante à l'université, et Stéphanie Lanthier, dans la trentaine, Nicole Charrette, dans la cinquantaine, Suzanne Dumont, dans la soixantaine. Les plus jeunes m'ont signalé tous les mots qu'elles ne comprenaient pas. Les militantes m'ont signalé mes oublis, mes contradictions ; elles ont discuté mes interprétations et m'ont aidée à préciser ma pensée, elles ont confronté leurs souvenirs avec les miens.

Mes interlocutrices, celles qui m'ont fourni des informations, des dates, des noms, des explications, des interprétations, des références et celles qui m'ont prêté des archives, des photographies, des articles, des revues, des livres, des notes de cours, qui m'ont référée à des sites web : Denyse Baillargeon, Monique Bégin, Maude Benny-Dumont, Colette Bernier, sœur Florence Bertrand, Isabelle Boisclair, Pierrette Bouchard, Nicole Boudreau, Nancy Burrows, Ginette Busque, Renée B. Dandurand, Solange Cantin, Lyne Chamberland, Laurette Champigny-Robillard, Nicole Charrette, Renée Cloutier, Johanne Daigle, Maria De Koninck, Lise Drouin-Paquette, Nicole Dorin, Lise Gratton, Marie Gratton, Sharon Gray, Kèro, Anna Kruzynski, Francine

Larivée, Andrée Lévesque, Stéphanie McKibbin, Odette Michaud, Hélène Pednault, Marjolaine Péloquin, Christine Piette, Louise Riendeau, France Rioux, Évelyne Tardy, Louise Toupin, Flavie Trudel, sœur Gisèle Turcot.

Les membres de ma famille, Rodrigue surtout, qui m'a calmée quand je m'emportais contre mon ordinateur, quand je cherchais un livre égaré et qui m'a soutenue et dorlotée avec ses petits plats. Entre le premier brouillon et la publication, il se sera écoulé plus de trois années : cela fait beaucoup de petits plats !

Marquis imprimeur inc.

Québec, Canada

2008

Imprimé sur du papier Silva Enviro 100% postconsommation
traité sans chlore, accrédité Éco-Logo et fait à partir de biogaz.

certifié   procédé   100 % post-   archives   énergie
sans   consommation   permanentes   biogaz
chlore